勿使前辈之遗珍失于我手

勿使国术之精神止于我身

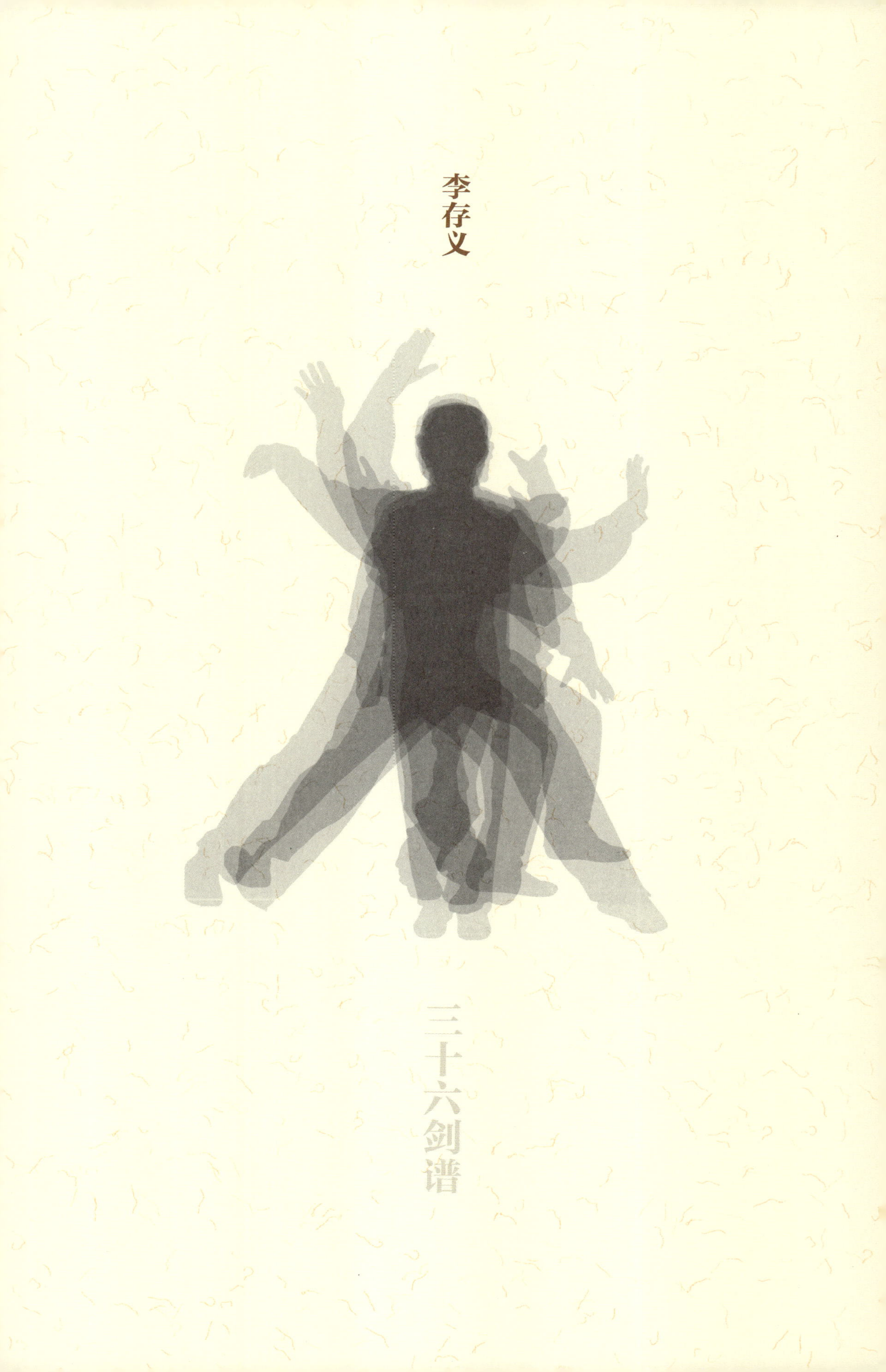
李存义
三十六剑谱

武学名家典籍丛书

李存义武学辑注

李存义·著

阎伯群 李洪钟·校注

三十六剑谱

李存义（1847年—1921年），字忠元，河北省深县南小营村人。少时家贫，以帮人赶车为生。及长，习长短拳技并周游各地。师从形意拳名家刘奇兰，并兼从董海川习八卦掌。后至保定开设万通镖局，兼收徒授艺。1900年，以53岁之龄，毅然投身义和团，手持单刀上阵，奋起抗击外敌，一时间『单刀李』之名不胫而走。晚年弃镖行，专志授徒。1911年在津创办中华武士会。于北方武术界威望甚高。

李存义的形意拳特点鲜明，兼有河北、山西形意拳的传承特征，融合了八卦掌、太极拳的一些技法风格，部分动作还保留了外家拳械套路的影子。李存义先生的武学著述，在我国形意拳发展史上占有极其重要的地位，它在奠定河北形意拳理论基础的同时，也促进了民国时期武术黄金时代的到来。

北京科学技术出版社

感谢阎伯群先生收藏并提供版本

出版人语

武术作为中华民族文化的重要载体，集合了传统文化中哲学、天文、地理、兵法、中医、经络、心理等学科精髓，它对人与自然和谐共生关系的独到阐释，它的技击方法和养生理念，在中华浩如烟海的文化典籍中独放异彩。

随着学术界对中华武学的日益重视，北京科学技术出版社应国内外研究者对武学典籍的迫切需求，于2015年决策组建了“人文·武术图书事业部”，而该部成立伊始的主要任务之一，就是编纂出版“武学名家典籍”系列丛书。

入选本套丛书的作者，基本界定为民国以降的武术技击家、武术理论家及武术活动家，而之所以会有这个界定，是因为民国时期的武术，在中国武术的发展史上占据着重要的位置。这个时期，中、西文化日渐交流与融合，传统武术从形式到内容，从理论到实践，都发生了巨大的变化，这种变化，深刻干预了近现代中国武术的走向。

这一时期，在各自领域“独成一家”的许多武术人，之所以被称为“名人”，是因为他们的武学思想及实践，对当时及现世武术的影响深远，甚至成为近一百年来武学研究者辨识方向的坐标。这些人的“名”，名在有武术的真才实学，名在对后世武术传承永不磨灭的贡献。他们的各种武学著作堪称为“名著”，是中华传统武学文化极其珍贵的经典史料，具有很高的文物价值、史料价值和学术价值。

目前，“武学名家典籍”丛书，已出版了著名杨式太极拳家杨澄甫先生的《太极拳使用法》《太极拳体用全书》，一代武学大家孙禄堂先生的《形意拳学》《八卦拳学》《太极拳学》《八卦剑学》《拳意述真》，武学教育家陈微明先生的《太极拳术》《太极剑》《太极答问》，著名形意拳家薛颠先生的《形意拳术讲义》《象形拳法真诠》《灵空禅师点穴秘诀》。本套《李存义武学辑注》收录并校注了一代形意宗师、中华武士会奠基人李存义先生传世的《岳氏意拳五行精义》《岳氏意拳十二形精义》《三十六剑谱》《五行连环拳谱合璧》《八字功》《五行剑》《连环剑》《梅花剑》《三才剑》《三合剑》等多本拳械功谱。李存义的形意拳特点鲜明，兼有河北、山西形意拳的传承特征，融合了八卦掌、太极拳的一些技法风格，部分动作还保留了外家拳械套路的影子。李存义先生的武学著述，在我国形意拳发展史上占有极其重要的地位，它在奠定河北形意拳理论基础的同时，也促进了民国时期武术黄金时代的到来。需要特别提示的是，《岳氏意拳十二形精义》原文中有一些注明需参照《岳氏意拳五行精义》的内容，为便于理解，建议读者配套购买。

这些名著及其作者，在当时那个年代已具有广泛的影响力，而时隔近百年之后，它们对于现阶段的拳学研究依然具有指导作用，依然被武术研究者、爱好者奉为宗师，奉为经典。对其多方位、多层面地系统研究，是我们今天深入认识传统武学价值，更好地继承、发展、弘扬民族文化的一项重要内容。

本丛书由国内外著名专家或原书作者的后人以规范的要求对原文进行点校、注释和导读，梳理过程中尊重大师原作，力求经得起广大读者的推敲和时间的考验，再现经典。

“武学名家典籍”丛书，将是一个展现名家、研究名家的平台，我们希望，随着本丛书的陆续出版，中国近现代武术的整体风貌，会逐渐展现在每一位读者的面前；我们更希望，每一位读者，把您心仪的武术家推荐给我们，把您知道的武学典籍介绍给我们，把您研读诠释这些武术家及其武学典籍的心得体会告诉我们。我们相信，“武学名家典籍”丛书这个平台，在广大武学爱好者、研究者和我们这些出版人的共同努力下，会越办越好。

序

天津本燕赵之区，豪侠气象素号恢闳。所惜地域促狭，兼之开发较晚，武术难谓发达。然津埠肇自军卫，又允为漕运码头，六百余年以来，尚武风习亦自不磨。迨至晚近，以海疆门户故，频遭列强凌夷，外侮内忧，交错相袭，津民得有切肤之痛。国事危殆，民力疲乏，所谓强国强种，迫在眉睫之间，武术一事乃大兴焉。

学人阐绎民国武术之盛，例称“南有精武门，北有武士会”，此说推源虽未必久远，然要亦契合实情。而精武门之霍元甲，武士会之李存义，两位民国武林巨擘，均与天津关系密切。霍氏生于津南小南河村（今属西青区精武镇），旧居暨墓园业已修葺如故，允为武林豪英瞻拜之圣地；李氏虽非津人，然所启之中华武士会则肇自津门，其后影响乃渐及江南塞北。

壬辰仲秋之月，余辑录《中华武士会百年纪念集》，撰有简短“编后记”，以为民间之武术研究，毋论宏观微观问题均繁，若拟不断提高层次，真正进入学术领域，还要走很长的路：“一是消除门派之争和畛域之见，武门人士和专家学者能坐在一起，真正心平气和地研究探讨问题；二是对既有武学典籍进行科学整理出版，对各门各派秘不外传的文献进行大力挖掘并公之于众；三是坚持实事求是，对本门本派历史不夸饰，不溢美，更不能无中生有混淆视听，同时对既有之混乱正本清源，辨伪存真；四是口述资料的采集，方法要规范和科学，不能羼入非学术的东西，否则难于真正进入研究的大雅之堂；五是提高研究者和爱好者的整体文化素质，同时不断拓宽学术视野；六是适时成立有关研究组织和基金会等，对相关学术研究进行推动和扶植。”所云大体涉及两个方面——武术发展和武学研究。这些都是随记所思，现在看来颇为杂沓。然而将近四年过去，种种乱象可谓依然。这些问题的存在，不仅限制了武学研究的深度和广度，也制约了武术发展的传承和创新。

两个月之前，伯群先生传来《李存义武学辑注》书稿，希望我写几句话冠诸篇首。我于武术并武学都是外行，远无置喙其间的资格；然而我与伯群先生，与李存义及中华武士会，与天津历史文化研究，有种种扯不清的因缘，使得我没有借口来拒绝。《李存义武学辑注》所录李存义武学著述，泰半完成于李氏寓津期间，由其弟子杜之堂、董秀升等襄助整理。《李存义武学辑注》文献来源清楚，真伪辨析明确，史料去取精审，整理方法得当。准此，本书之价值和意义，非但为津门武学添增光彩，或亦可视作改变某些乱象之契机，至少可说是一次示范性实践。

北京科学技术出版社面对汹涌商潮，不惟浮名，不计锱铢，慨然将《李存义武学辑注》纳入“武学名家典籍丛书”梓行，此类成果若能日累月积，无论对武术发展还是武学研究来说，都是一件非常幸运的事。

丙申端午后三日

杜鱼草于沽上四平轩

（杜鱼，原名王振良，天津市著名

文史专家、今晚报社编辑）

导读

清末民初，中国武术处于历史发展的勃兴期，涌现了以传统哲学名词命名，并以哲理阐发拳理的拳术和拳派。清晚期，以太极学说立论的太极拳，以八卦学说立论的八卦掌，以五行学说立论的形意拳，不断演进，活跃在燕赵大地。作为内家拳重要拳种的河北形意拳，在长期的发展过程中，融会和吸取了地域人文环境和自然环境的营养，形成了独特的技术风格和深厚的文化内涵，成为“源流有序、拳理明晰、风格独特、自成体系”的优秀拳种。形意拳源自心意六合拳，始于明末，盛行于晚清，为明末清初山西蒲州人姬际可所创。姬际可擅长“心意把”，尤精枪法，据说他在终南山见鹰熊相搏，心有所悟，于是变枪为拳，编创新法，并尊民族英雄岳飞为始祖。姬际可门下，分成河南、山西、河北三大派系，分化成不同的名字传承，包括心意六合拳、心意拳、形意拳等。传承谱系上，姬氏传曹继武；曹又传山西戴龙邦、河南马学礼；戴龙邦再传河北深州李洛能。李洛能根据拳术的原理原则及特点，反复实践，对心意六合拳进行了大胆的改革创新，衍化出新拳种“形意拳”。李洛能传郭云深、刘奇兰、宋世荣、车毅斋等，在河北和山西两地传承。在河北，以郭云深、刘奇兰为代表，被称为河北派形意拳。清末民初，河北派形意拳发展最为迅猛。在形意拳的第三代，以李存义为代表的武术家开始把这种风格简约、融技击与健身为一体的内家拳法传播到京津等大城市，在北方地区普及，直至辐射全国，进入军队、学校，形成当时全国影响最大的拳种。

形意拳在近代历史上的巨大社会效应，与李存义等武术家站在时代激变的潮头，追求强国强种、武术救国的梦想密不可分，也与其个人叱咤武林的风范、高尚的武德修养息息相关。李存义之于形意拳，乃至形意八卦，堪称承上启下、奠定基业的一代宗师。

李存义小传两种

李存义诞生于清道光二十七年（1847 年），是形意拳肇始初期以乡邦传承为主的深县籍拳家，与前辈拳师一样，均因家贫无资入塾，而以习武谋生。因缺少文化，李存义自己留下的生平文字极少，且武术作为民间活动，很少见载于官方史料，再加上年深代远，仅有的一些文献和口传资料逐渐湮灭，尽管曾经是一位在武术史上产生过伟大影响的人物，其事迹也显得极为疏略。

现存李存义小传两种，均为其随身弟子撰写，可资采信。民国二年，李存义携弟子郝恩光、李彬堂、李子扬等执教于中华武士会本部，担任教务主任，开始编纂形意教科书。他与弟子黄柏年编录了

《五行拳谱》一部。此书为手抄本，现藏于天津市河北区档案馆，《武魂》杂志根据此版本整理后发表。其序文部分介绍了形意拳的源流、中华武士会的创会历史，涉及李存义的生平事迹，此为李存义小传之一种。

《五行拳谱》残本

《五行拳谱》序

（原谱现存第一页）□□□□拾年，时东洋□□□命刘□□□征东总师。其年腊月，在京城靖摩寺招考武士，得第一名总教习，随营教授将佐。抵金陵，公任为两江督□□总，止仕归籍后，友人邀在保□□□万通镖局，公为该局之局长□□□□□□□□□英雄之佳□□□□□□□□□之规模。

（原谱现存第二页）孙□□□□□□□□□□□公虽财政□□□□□□扬燕赵之士，咸知李公武技道德过人。至庚子变乱，鄚州诸门人欢迎抵鄚，挽留十余载，收徒甚广。宣统三年冬月归籍。民国元年天津组织中华武士会本部，举公为本部总教员。二年春二月，因南北意见有歧，政府委任王芝祥君为江西宣抚使，请公腹心从事，又命公为江西司令部总教员。续在金陵、上海等处□□□□提倡武风。抱定国民转□□□□□□□至□□□□□□□。

（原谱现存第三页）予幼爱习拳术，初本为强身练习，继乃成技艺门中人也。然虽若此，于技艺中，余终不知其究竟。复贸易云□所□□□□□□□丑春月，经王君维忠介绍于李存义夫子门下。公待遇笃诚，指教真功。余天性鲁钝，惟克（刻）苦功勤，后稍得堂室门径。民国元年，天津组织中华武士会，邀余为本部教员。虽技业浅薄，而授处之间，膜得我为成赞（此句难认，恐用字有讹错）。是李公一世之春暄（晖），难以我报。又蒙假以拳剑诸谱，其中语言深奥，唯恐初学者有弗明通之处。余等故解释数篇，为初学者辱览。

……

第四章形意拳历史。此功自达摩祖为始。初，祖静坐山林，观其龙、虎、诸鸡彼此相斗，各有所长。祖睹其形势，又以五拳为母，遂悟出十形，前文叙明，故不再录。至宋朝岳武穆王以得此异术，又增二形，鹰、熊是也，至今河南汤阴县岳家专门传授尚在焉。咸丰年间，山西载（戴）（原作“载”，自后改正之）龙邦先生，在河南得此传授。同治三年，直隶深州李君飞羽，平生最好武技，因贸易抵太原，经孟君介绍于戴先生。时李初见戴，即论平生所习，谈吐豪迈，稍一比拼，而知戴为异人也。自此北面而师之。经历十易寒暑，戴曰：“子勇成矣。”后李君返直，所收弟子甚广，余不能尽述，择其要者略而言之。第一、有深县城内刘奇兰君；二、郭云深君；三、山西车永宏、宋世荣。未能细述。于光绪甲午年，诸君树教京门。余师李公存义，立负笈从师，方得此术。至庚子，直省变乱，京师颓靡。时燕南之士，咸知李公武技、道德过人。鄚郡诸门人欢迎抵鄚，留十余载，至宣统三年冬月归籍。民国元年，诸君提倡尚武，其中有叶云表君、张恩绶君、张占魁君、刘殿琛君、张季高君、韩秀珊君将余等招至天津，同为提倡武风，先组织武士会。本郡广设传习所，为求普及全国之目的，唤起我国尚武之风。此形意所由始也。

李存义先生　黄柏年君同增修

民国二年冬月于天津公园内武士会师徒灯下修缮

（□代表原抄本无法辨认的损坏文字）

《近今北方健者传》

李存义的另一版本小传，由济南才子、中华武士会成员杨明漪撰写，收入《近今北方健者传》。本书于1923年出版，又称《拳勇见闻录》。杨明漪本人既是李存义的弟子，也是中华武士会创立和发展的见证者，《近今北方健者传》一书是研究中华武士会历史的珍贵资料。此为第二种。

李存义，字忠元。直隶深县南小营村人也，世称其业为首饰李，或称其艺为“单刀李”先生者也。先生修七尺有咫，赭颜钟声，精通武术，未尝读书，然于拳家谱牒，无不心识手摹。自言历习多门，年三十八，皈依形意门。师事刘奇兰，与八卦门之眼镜程、翠花刘为兄弟交。民国八年，年七十矣，望之如四十许人，内功醇而睟盎见，理固然欤。施教未尝有懈容，学者遇之，辄依依不忍离。聆其一二语，终身由之，无铢粟失，大河以北宗之。高弟某功行最深，声塞津京间，一日请益，先生用劈拳，未致力也，某仆丈余外，体无轻微伤，予适值之，不知其手法也。先生名满天下，顾与人恂恂如老妪，殆侠其骨佛其情者耶？著拳谱二百余卷，皆手自编录图解。民国元年创办天津中华武士会，今会中及弟子孙禄堂所出之拳谱，特其绪耳。予师事先生又与其子彬堂游，于八年秋（1919 年），先生之归农也，曾合影作颂以送之曰：七旬老翁，发鹤颜童；精深武术，形意是攻；娓娓循循，宇内从风；阐明详瞻，著述富隆；黄河滚滚，岱岳崇雄；守先传后，斯道无穷。

明漪曰：忠元先生，于民国十年辛酉二月二十八日，病逝于家中，年七十二。予从之学，然文弱不任先生教，惟受呼吸法尔，并以之却病者今数年矣。闻先生之高弟云，先生之拳械，无不造极，所编十三枪法，尤为集大成之作。学者均未能窥其深，略有所获，即享大名矣。中华武士会谋所以寿之贞珉者，其事迹尚未征齐也。

创立中华武士会

早在清宣统二年（1910 年），李存义就在天津三条石创办了民间武术团体“中华武术会”，开始了民间武术资源的整合，这个团体也成了中华武士会的前身。

辛亥革命以后，民国成立，锐意图强，孙中山倡导尚武精神，以强国强种，振兴国本，民间尚武之风蔚起，我国固有武术迅速复兴。燕赵之地自古就是孕育英豪侠客的文化息壤，在民族崛起之时，各界精英共同引领了武术变革的潮流。于是，由李存义、张占魁、李瑞东等一大批爱国武术家发起的中华武士会宣布成立。中华武士会在确立了形意、八卦、太极三大内家拳格局的同时，开拓了中国武术本土化的教育传播模式，把国粹武术普及到学校、军队，继之上升为“国术”，促进了中国武术的空前繁荣，在当代和后世影响巨大，其肇始之功首归李存义。

1912年6月5日、6日，天津《大公报》发布了“中华武士会公启”“中华武士会简章”及“中华武士会传习所简章”。其中“中华武士会公启”，从制度、思想、文化三方面剖析中国武术复兴的必要，在当时可称振聋发聩的呐喊：“我中国者，一尚武之国也。自我祖黄帝降昆仑，而东以武力逐蚩尤得中土，其雄武气概，盖可想见。以及战国时代，各国犹莫不崇尚武事，尽力发扬其尚武之精神。盖自古迄今，未闻有文弱之民而能立国者也。迨夫后世中原一统，各专制君主皆极思柔弱其民，使易于控驭，自是武道始不竞矣。极其弊而通国士夫，皆以习武事为轻狂，不但不以为可贵，而反蔑视之，遂使通国之人靡弱若病夫。夫以靡弱若病夫之人，而欲竞胜于此强权之时代，其有幸乎？吾中国近年以来，屡遭外人侮辱，而无如之何者，其原因虽不一，而国风之文弱，与士气之不振，则为其原因中之过且大者无疑也。彼东瀛萃尔三岛，人口土地不及我者，不止数倍，而能一战辱我，再战破俄，彼国士夫推原其故，辄归功于彼之武士道。由斯以察，武道之有关于国家兴废，不亦重大矣哉。况我中国之击技，其神妙实甲全球，若其变化莫测、刚柔并用、运气诸法，又为外人所梦想不到者。凡此，皆我先民好武者，久由经验而得之，岂有神权涉其间者。日本拾我唾余而能名动天下，甚至美之大总统求教师于彼邦，英之女校体操将尽改，用其柔术，拾我余唾而能盛称于天下，且收莫大实益，若彼者何也？此无他，以彼之视此有若第二之生命故也。我则藏精具粹，而世莫知焉，国家亦未能得其利者，何也？此无他，以我之视此直蔽屣之不若故也。他无论矣，就学界一方面观之，日本中学程度以上各学校，其校中莫不设柔道击剑，各部学生亦未有不习之者。年中试，合数次定优劣，以资鼓励。故学生时代除研究功课外，谈则论武，聚则斗力，周视全国莫不皆然。吾国则反，是文人直以运动为轻佻，而且视为下流。以此相较，彼兴我腐，岂偶然哉？同人观此情形，慨叹莫已。用特发起此会，欲以联络同好，广征武术名手，自兹以往，振起我数千载之国粹，使光显于世界。于是我国之武风可长，士气可振，国本可立，此岂可再忽之者哉？近世体育一科，各国莫不竞尚，其操练之术亦种类不一，然其适于运用，且益于体力者，则皆莫我中国之古击技，若此亦不必详论，就实际上比较之，自瞭然矣。观凡精于击技者，其体力、气力、魄力、胆力不胜常人数倍耶？吾人处世行事乏以上数种力者，鲜能成功。而欲备此数种力，则非近今各运动法所能济事。盖法门之不同，而收效自异也。今同人创设此会，募集击技名手，广设传习所，以求普及，期我国民自兹以往，变文弱之风而成坚强之习，以负我民国前途之重任。诸君有闻风兴起者乎？此同人大有厚望焉者也。”

“中华武士会简章”对武士会的办会宗旨、建制、人员等做了规定。名称，定名为中华武士会（亦称中国武士会，意在武术普及全国之目的）。宗旨，以发展中国固有武术，振起国民尚武精神为宗旨。会员，以年在15岁以上，籍为中华国民而品行端正者充之。会期，每年开春秋两季大会，是为常会。会所，暂假河北三条石直隶自治研究会总所。中华武士会附设传习所，学科分为两种，一速成科，一专修科。

中华武士会发起之时，也是河北形意拳术峥嵘初露之机，北方各派拳家都对新兴的形意拳术争议颇多，质疑形意拳的实际功用，于是李存义率弟子郝恩光与李子扬夜半拜见中华武士会支持者张继等人，陈形意之适用，为国粹，并令两位弟子演习拳术。演练中，地砖碎裂数方，令张继等人惊叹不已。次日开会，公布形意拳术为中华武士会首选，李存义为教务主任，刘文华为总教习，李彬堂、郝恩光等为教员，以传授形意、八卦、太极拳为主，另有八极拳、通背拳、戳脚等，各拳种均由优秀拳师任教。中华武士会由教务主任李存义为总负责人，代理会长之职。随着武士会的发展，除李存义、李星阶二人外，还先后有几位捐资人担任过会长或名誉会长，但均为挂名。

中华武士会创立后，到天津公园学习武术的人络绎不绝，常有学生、教员、商人排队前往学习武术。由于场地不足，中华武士会在河北甘露寺宣讲所设立分部，招致学员。作为师资，中华武士会聚拢了一大批中国北方武林的顶尖高手，如定兴三李、尚云祥、郝恩光、李彬堂、王子翙、程海亭、李进修、王俊臣、韩慕侠、黄柏年、张景星、李书文、霍殿阁等，都是中华武士会的早期教员、中国武术教育的先行者。

中华武士会还汇聚了一批剑胆琴心的文化精英，整理编写武术教材，如学者杜之堂、学务公所画师阎子阳，为李存义口述拳谱、剑谱进行编录和绘图，加以系统整理，对后世河北形意拳研究奠定了理论基础。黄柏年也与老师李存义灯下修谱，留下《五行拳谱》一部。

在社会各界爱国人士的支持下，中华武士会蓬勃发展，京津各校纷纷到武士会聘请教员。1913 年，李子扬受聘于天津北洋大学，李剑秋接替刘文华赴北京清华学校任武术教员。中华武士会的武术教学活动扩大到全国。李存义为调节南北政治分歧，赴江西司令部任总教员，后在金陵、上海等处提倡武风，在上海南洋公学（上海交大前身）教授拳术，数月后返津。同年，中华武士会在日本成立中华武士会东京分会，传授中国留学生。来自中国的形意拳术让日本武士道深感中国武术的深邃，羡慕且嫉妒。日本武士道召开赛武会，意将抑制中国人以自扬。郝恩光登台，展露形意绝技，日本武士无敢撄之。形意拳术被日本人视为武林绝学，在私下揣摩和研习，重金邀请郝恩光传授技艺，被郝拒绝。郝恩光归国时，受到留学生的热烈欢送。

1918 年夏，天津博物院召开成立展览大会，以中华武士会为主体，李存义在弟子李星阶的协助下，召集北方数省六十多个门派，三百多位武术家莅会表演，规模之大，影响之广，堪称空前。各派之间沟通了感情，交流了技艺，受到社会各界的嘉许，数百群众踊跃报名加入武士会，武士会利用天津城厢附近的四个宣讲所，除原有的甘露寺（北大关）宣讲所、天齐庙（东马路）宣讲所，还在西马路、地藏庵（河东粮店街东）两处宣讲所，设立武士会分部，与天津社会教育办事处共同推行社会教育，兼筹并顾，形成德智体三方面兴学的一部分。

1918年9月14日，北京召开万国赛武大会，俄国大力士康泰尔设擂比武，主办方函请北方武术家到京。李存义为维护国术和民族尊严，率门人数十前往赴会较技。会上，因格于警厅、步军统领之禁未得交手，改为演武，中华武士会有精彩表演。其后，康泰尔表演举重，力举200斤石墩，墩上带6人，环社稷坛走一圈。中华武士会王贵臣举其墩，能带12人环社稷坛走三圈，以此神功绝技慑服了俄国大力士，使其将11块金牌主动献给中华武士会。中华武士会参加赛武会的消息被北京、天津、上海的各大报纸连续跟踪报道，成为当时家喻户晓的社会新闻。会后，北京《顺天时报》、天津《大公报》和《益世报》先后以《中华武士会赛武大会之详志》为题，刊发详细报道。

万国赛武大会后，北方各省掀起习武热潮，前来中华武士会习武人员彻夜不断，令年事已高的李存义难以应付，隐居英租界弟子张天普家中，由继任会长李星阶打理会务。

李星阶在主持武士会期间，秉承李存义的办会理念，团结武林人士，联络各个门派，以武术教育为主旨，与阎子阳、王子翙、杨明漪、韩怡庵等一批武士会的骨干成员做了大量卓有成效的工作，使中华武士会成为我国北方武术教育活动的中心。

李存义对弟子们的成绩给予了极大的肯定，深感欣慰，遂于1919年秋归乡，颐养天年。

1919 年中华武士会教职员合影

左起：程海亭、韩慕侠、周祥、李呈章、李星阶

武学贡献

中华武士会所凝聚的武术家、教育家，以燕赵大地为地缘，深受古燕赵文化熏陶，在学术上，继承了明末清初哲学家孙夏峰以及后学者颜习斋的学说，主张文武并重、经世致用，注重身体力行，燕歌沉雄之气一脉相承，因此，在体育教育理念上，较早认识到，武术不独可以强健体魄，也可以增进德性，具有教育之价值，即体育，以养其体力，启其智慧，尊其德性。所以，中华武士会在李存义的教育理念的指导下，敢于率先打破沿袭了几千年的私相传授、匿于岩穴的传承方式，一改为著述教材，公开传播，开办传习所，在社会各界广泛招生；同时，迈出更重要的一步，进入课堂，开启了中国武术教育的先

例，赢得了示范效应。1915 年 4 月，全国教育联合会在津召开，通过了旧有武术列为学校必修课的议案，教育部明令“各学校应添中国旧有武技，此项教员于各师范学校养成之”。至此，源远流长的中国武术确立了在现代教育领域的地位。

据杨明漪《近今北方健者传》载，李存义“著拳谱二百余卷，皆手自编录图解”。本套《李存义武学辑注》收入了李存义先生手录或口述，并由弟子编撰而成的主要著作，这些著作曾作为中华武士会学员、中高等学校、军校的普通教材，广为使用。其内容是形意拳最具代表性的拳械套路、理论功法，是修功练武之门径。本书在编辑过程中，根据内容关联和篇幅分为三册：第一册《岳氏意拳五行精义》（附《五行连环拳谱合璧》），第二册《岳氏意拳十二形精义》（附《八字功》），第三册《三十六剑谱》（附《五行剑》《连环剑》《梅花剑》《三才剑》《三合剑》）。

笔者在校注李存义先生著作时，发现一个比较容易混淆的因素，就是本书影印并简体化的版本和校注过程中参校的版本较多，比如“保定本”“山西本”“杜本”等。根据校注中具体的使用情况，对各个版本说明如下：

《岳氏意拳五行精义》（上下册），李存义原述、董秀升编辑，1934 年由晋新书社刊行。本书将上下两册《岳氏意拳五行精义》《岳氏意拳十二形精义》分别影印并简体化。据传 1914 年李存义曾授董秀升岳氏意拳古拳谱，但原书未见。从 1934 年刊行的《岳氏意拳五行精义》来看，多系《武术研究社成绩录》所编。

《五行连环拳谱合璧》，李存义口述、杜之堂编录、阎子阳绘图，刊行于中华武士会早期。本书影印并简体化，简称“杜本”，由于篇幅较小，附于《岳氏意拳五行精义》之后，但读者万不可轻视之。《五行连环拳谱合璧》是中国近代流传最早的一部形意拳术教材，编写于民国初期，为此后出版的形意拳著作树立了典范。一方面，它建立了语言通俗而层次井然的理论体系。清末流传的形意拳抄本，其理论多晦涩难明，同一主题的论述，多分散于全书的不同章节，缺乏理论的层次性、逻辑性。对文化程度较低的习武者来说，如同天书一般，很难正确指导练拳实践。《五行连环拳谱合璧》一书，对古人的写作方法进行了彻底改革，实现了理论的系统性、层次性。该书首先阐述形意拳的理论基础——五行理论以及与五行相对应的五脏与五拳；继而介绍了人体基础知识——四梢理论及四梢在拳术中的相应练法和功用。更为难能可贵的是，它把零散存在于古拳谱中的有关形意拳的各部身形要求，做了精准的提炼，总结出了“八字诀”“九歌”这样的经典篇章，通俗易懂，合辙押韵，朗朗上口，便于记忆，成为后世传人练习形意拳的准绳，直至今日仍为形意拳著作所引用；另一方面，它开创了详细图解拳术的先河。此书问世之前的拳谱，多是只有文字理论，没有插图，即便有图也无详细的图解，使读者只能望书兴叹，无法学习。《五行连环拳谱合璧》的插图，能够精确地表现形意拳的技术要求，把动作之间的过渡状态也用虚线形象地描绘出来，还把拳术的行进路线准确画出，使学者一目了然。

《三十六剑谱》，李存义口述、杜之堂编录，刊行于中华武士会早期。本书影印并简体化。

《武术研究社成绩录》，保定陆军学校1918年编订，大量收录了李存义拳械图谱，由王俊臣、李剑秋校订，张桐轩编辑。本书将其中的八字功、五行剑、连环剑、梅花剑、三才剑、三合剑等章节影印并简体化，其他部分作为参校，简称“保定本”。1915年，教育部在全国明令开设武术课程后，形意拳走进校园。直隶各省武术教员多由中华武士会会员担任，这些拳谱也随之变成各学校的武术教材范本，直接用于武术教学。1916年，保定陆军学校开设武术课，成立武术研究社，并于1918年出版《武术研究社成绩录》，为保定陆军学校“同人将年来所习拳术课目而订之为成绩录”。此书中大部内容采用了李存义口述之拳械图谱。

《八字功拳谱》，民国初年李存义口述、杜之堂编录。本书作参校使用。

《形意拳古谱》《拳术讲义》，1919年，张桐轩于山西国民师范学校任教，印行此二拳谱，简称“山西本”。本书作参校使用。

《李存义剑谱》裴锡荣藏本，简称“裴本”。本书作参校使用。

《五行拳谱》，李存义与弟子黄柏年编录。本书作参校使用。

李存义先生“历习多门，年三十八皈依形意门”，在他所编拳械套路中，有如下特点：第一，部分动作仍然保留外家拳械的特点。例如，有些动作要求：“前腿进、绌，后腿跟、支”的弓箭步及剑术中常见有臂伸直的动作，明显存有外家拳的影子，不过在步法上采用形意拳的跟步，这样发力更加充沛，姿势舒展美观大方。当然，山西、河南的心意六合拳也常见重心在前腿的动作，说明早期河北形意拳也沿袭了心意六合拳的特点。第二，融合八卦掌、太极拳的特点。李存义先生武艺精深，轻财重义，广结豪俊，与八卦门程廷华、刘凤春，太极门李瑞东以及刘德宽等为兄弟交，故李存义所传形意拳械套路把八卦掌、太极拳的技法和风格有机地融入进来。李氏所编“龙形掌”“龙形剑”就是典型的形意、八卦合一的套路；五行拳中钻拳回身势也是采用了八卦掌中转环掌动作，在“八字功”套路中更是多处吸收了八卦掌的肘下穿掌和转环掌，在步法上也采用了八卦掌的扣步，演练风格则采用了太极拳的轻缓柔和发劲含蓄的特点，故又称作“软八手”；李氏所编“六合剑”中也吸收了八卦剑的步法和动作。第三，融合河北、山西形意拳的特点。据姜容樵《形意母拳》记载：“北方自李洛能传授形意时，仅五行、连环，十二形半数而已。至郭云深先生仍之，后由李存义先生及同门某公，赴山西太谷，寻访同门前辈精斯术者，乃尽其所学而载之归。”

总之，李存义先生的武学著述，在我国形意拳发展史上占有极其重要的地位。它在奠定河北形意拳理论基础的同时，也促进了民国时期中华武术黄金时代的到来。本套《李存义武学辑注》是国内首次系统出版的李存义武学著作，囿于笔者的学识，在校注中不免谬误之处，恳望广大读者和同仁批评指正。

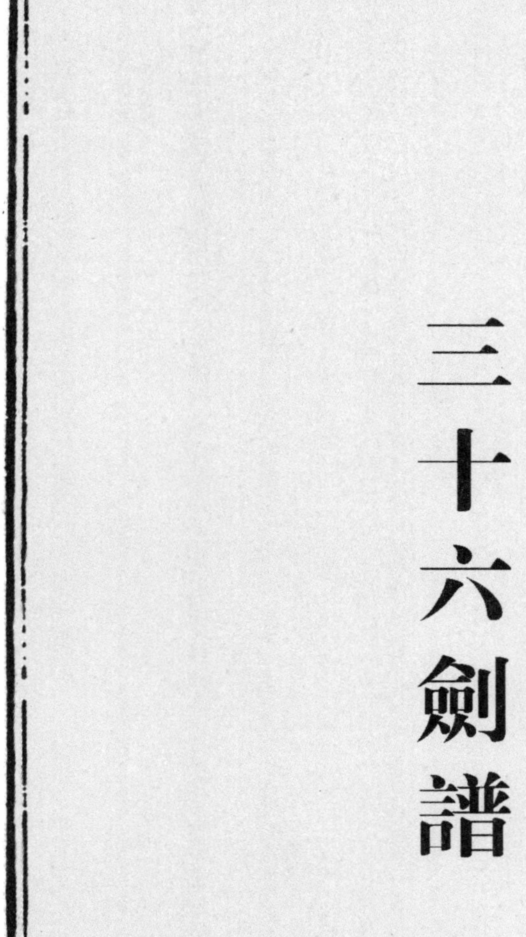

三十六劍譜

三十六劍譜

深州李存義口述
廣宗杜之堂編錄

第一章　總論

第一節　名稱

三十六劍者、合而名之也、分之則爲進步六劍、退步六劍、搖身六劍、轉身六劍、勾挂六劍、風輪六劍、

第二節　練習

合三十六而練習、則長而費力、故分、僅練六劍、又過短、故六劍皆往復練習之、不然、或進退並練、或

搖轉並練、或勾挂風輪並練、皆無不可、

第三節　起止

開勢收勢六劍盡同、卽各劍起止所用者、假使連習三十六劍、一開一收即可、分習、則每段起時用開勢、止時用收勢、

第四節　釋詞

譜中所謂陰手者、手腕外翻也、所謂陽手者、手腕內翻也、劍刃上下、則刺之易入、所謂絀者、骽屈成方也、所謂支者、骽伸也、即割線所云之九十度、所謂蹻腕者、低則在腕、高則在頭也、所謂刺劍者、低

則刺臍、高則刺喉、中則刺心也、

第五節　方位

舞劍之時、或南北、或東西、均可不拘、作譜須有定方、乃易指示、今假定為南北路線、開勢在北端、東為左、西為右、北為後、南為前、牢誌之、乃可讀此譜、

第二章　分論

第一節　進步六劍

進步者、以前進為主、然其中亦有退步、就其多者言之也、路線如左

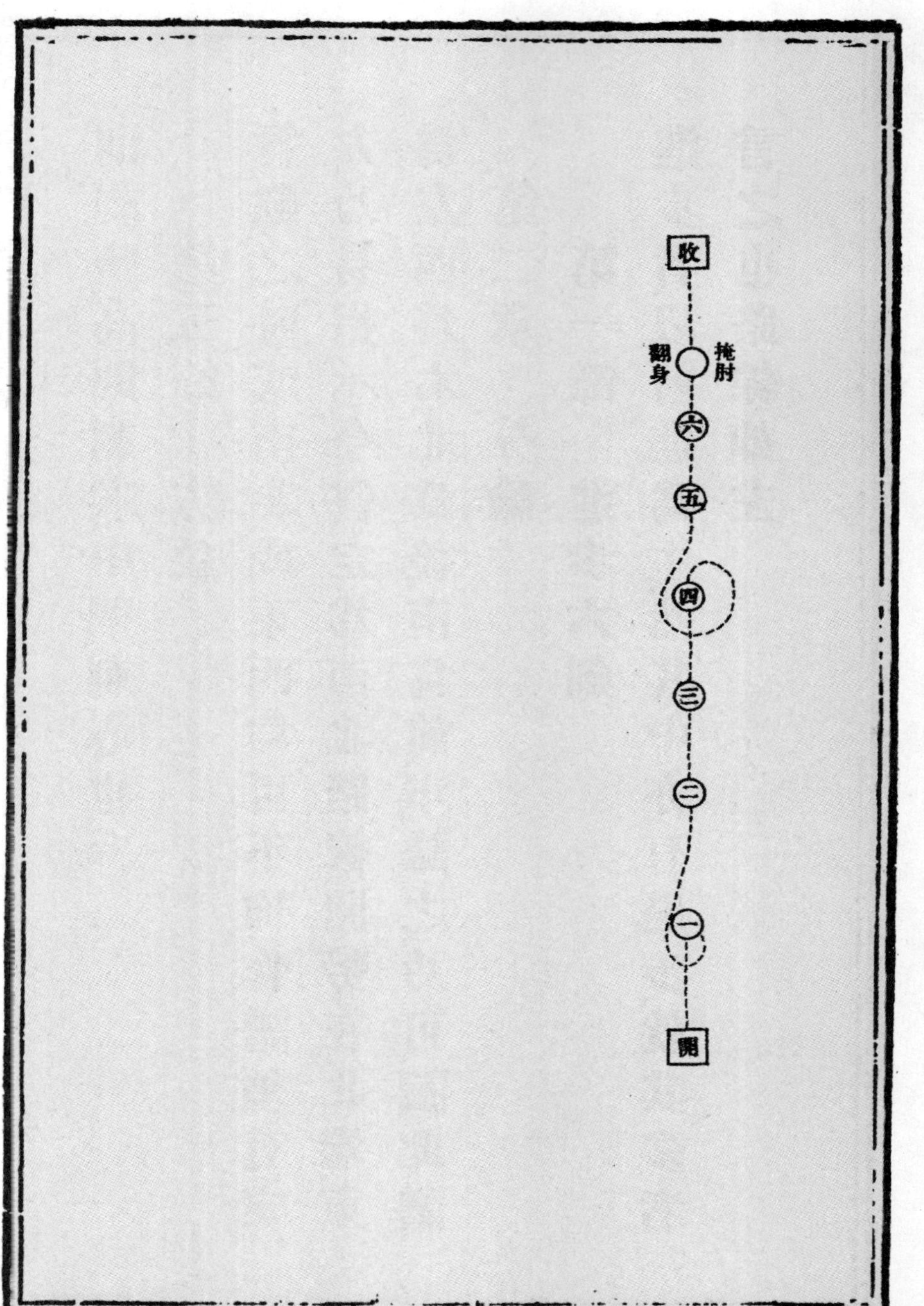
收
掩肘
翻身
六
五
四
三
二
一
開

一勢 裹砍

由開勢左骸落、劍自面前左裹、右骸進、紲、左骸支、劍平砍、左手護額、

裹砍圖

二勢　撩腕

劍回挂、右骽退、劍由頭上過左、右骽進、轉身、左骽倒插、陰手撩劍、左手後伸、作勾、與劍成水平、勢極低、

撩腕圖

三勢　轉身裏砍

由上勢轉身、面向前劍隨身轉裏、右䯼進、絀、左䯼支、劍攔腰平砍、左手護額、

轉身裏砍圖

四势　抱劍環走

進左髎、盤右髎、劍柄置左脅、斜立護頸、左手置身後、作勾、右髎落進、繞行、步數無定、

抱劍環走圖

五勢　陰手翦腕

前勢走至正面、劍在面前偏右作小圈、陰手翦腕、左髮進、左手置腕下、

陰手翦腕圖

六勢　陽手翦腕

提左髮、劍隨裹、左髮落、右髮進、絀、左髮支、劍平砍、鋒稍低、左手護額、

陽手翦腕圖

附掩肘翻身劍

劍立面前、左髲進、左肘立置劍後、轉身、劍隨身下落、右挂、退右髲、顛、進左髲、絀、右髲支、劍陰手刺襠左手置腕下、此勢在六劍收勢前、隨時加入、

掩肘翻身劍圖

第二節　退步六劍

退步者、亦前進而舞、然倒插步多、故名曰退步、路線如左

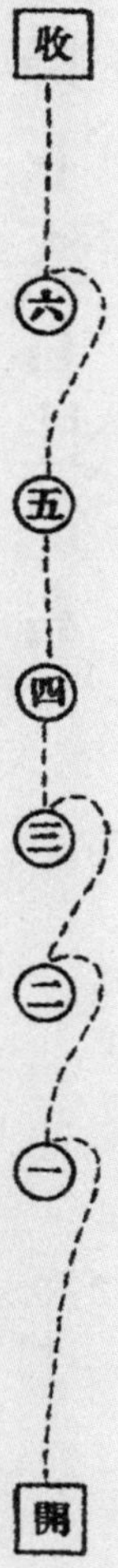

一勢　劈頭劍

由開勢左髮落、右髮進、身右轉、劍隨身轉、立劈頭部、左手置頂、眼視劍、

劈頭劍圖

二势　鑽劍翦腕

左脣進、劍由頭上繞至左邊、轉身、右脣進、支、左脣絀、陰手翦腕、左手置腕下、

鑽劍翦腕圖

三勢　退步撩腕

右髲退、支、左髲紲、劍靠身右、上起下撩、作一大圈、左手護額、

退步撩腕圖

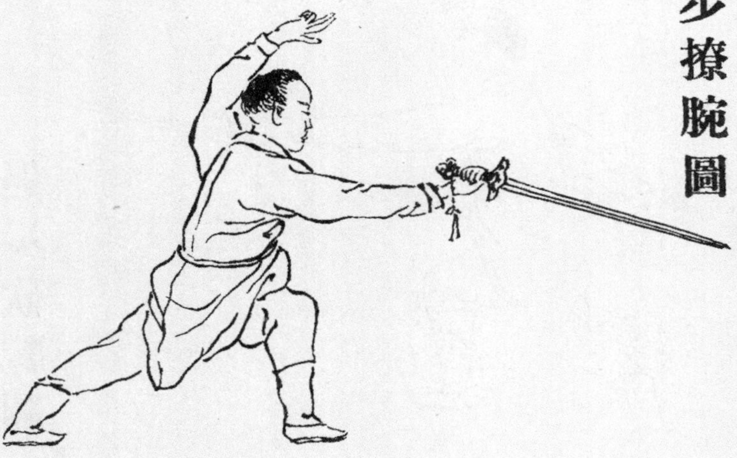

四勢　退步砍腕

右骽左手撤、劍亦撤至身後而前砍、左骽絀、右骽支、左手身後作勾、

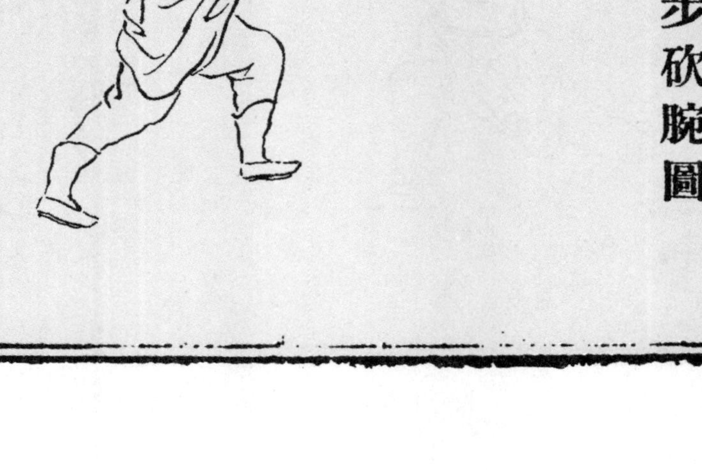

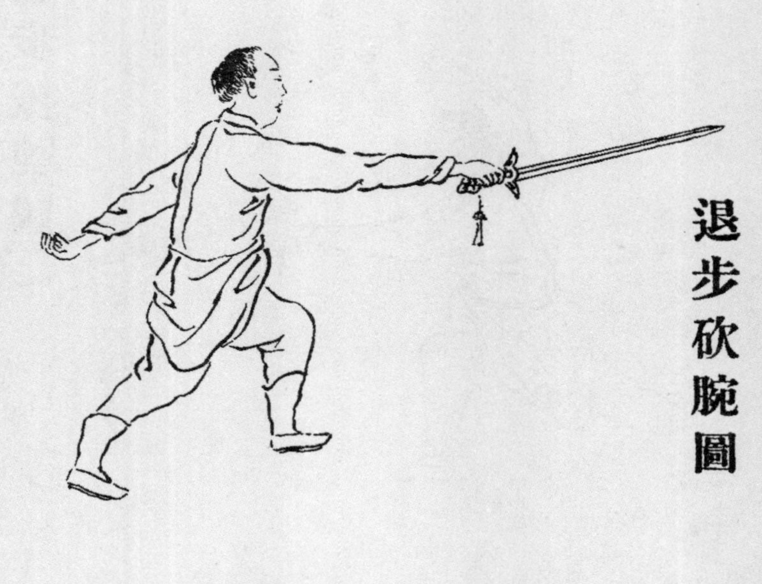

退步砍腕圖

五勢　橫劍截腕

左骽退、劍由身前作小圈、陽手橫截、右骽自左旁倒插、左手繞置頂上、

橫劍截腕圖

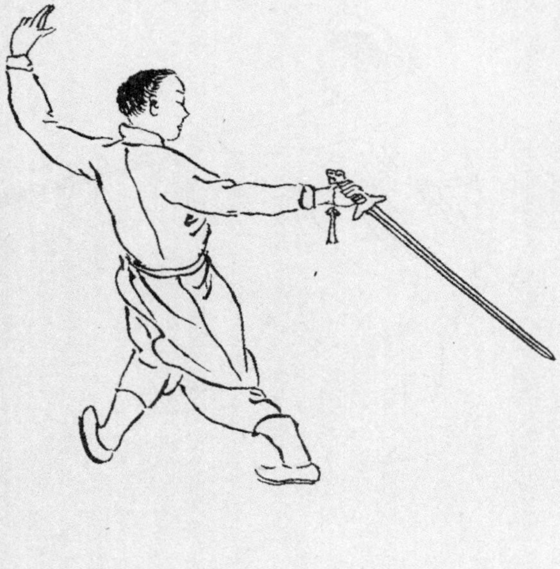

六势　轉身劈劍

左手落至柄前、而後捋身轉、右髅進、劍隨身轉、左手上起過頭、身轉、左髅進、劍在身後、左手在臍下、劍立劈、左髅提至膝、左手上翻護額、

轉身劈劍圖

第三節　搖身六劍

搖身者、身左右搖也、三搖相同、左右中地位不同而劍法亦稍有變換、左搖前加一裹劍、中搖前加一筋頭劍、不如此則勢不順、雖似八劍、仍稱六劍可也、路線如左

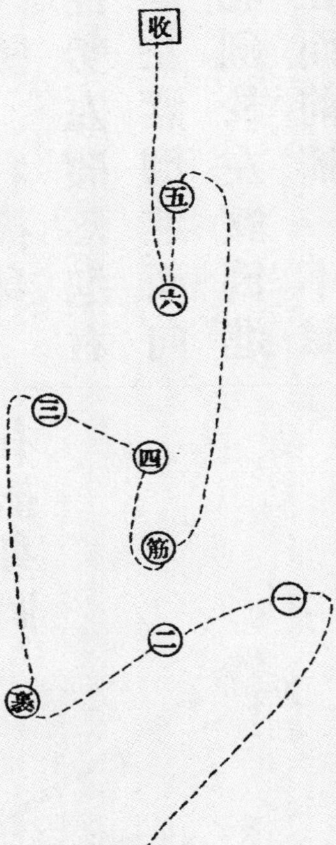

一势　右搖身

由開勢左髮落、進、右髮進、左髮倒進、面向東北、劍於左髮倒進時、在面前搖一小圈平砍、右髮絀、左髮支、左手護額、

右搖身圖

陰手翦腕圖

二勢　陰手翦腕

左髿進、紐、右髿支、劍換陰手、繞左、右翦、左手置腕下、

附裹劍

左髲進、右髲隨進、髲並、右脚提、蹲身作小勢、劍裹、柄置左膝前、左手置身後、作勾、

裹劍圖

三勢　左搖身

右骽進、左骽進、右骽倒進、面向西北、劍於右骽倒進時、換陰手、繞左、右蒻、左骽紲、右骽支、左手置腕下、

左搖身圖

四勢　陽手翦腕

提左髲、劍隨裏、左髲落、右髲進、絀、左髲支、劍平砍、鋒稍低、左手護額、

陽手翦腕圖

附筋斗劍

左髋進、劍立面前、左肘立置劍後轉身、右髋退、左髋退與右髋並、左脚提、面正南、蹲身作小勢、劍隨身轉而後挂、又由後前劈、隨左手落至膝、

筋斗劍圖

五勢　中搖身

左髎進、右髎進、左髎倒進、面正北、劍於左髎倒進時、在面前搖一小圈、平砍、右髎紬、左髎支、左手護額、

中搖身圖

六勢　陰手翦腕

左髲進、紺、右髲支、劍換陰手、繞左、右翦、左手置腕下、

陰手翦腕圖

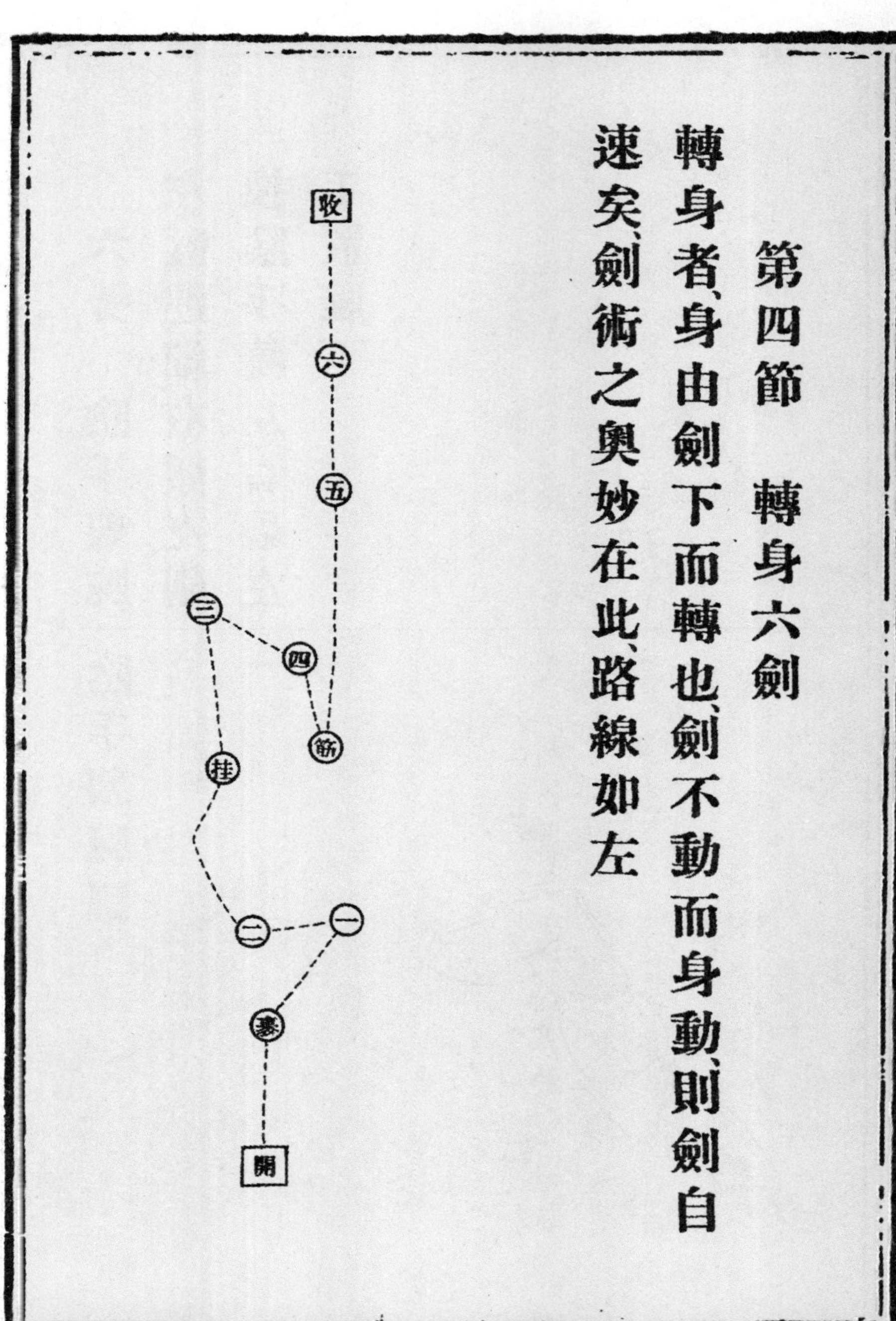

第四節　轉身六劍

轉身者、身由劍下而轉也、劍不動而身動、則劍自速矣、劍術之奧妙在此、路線如左

附裏砍

由開勢左髲落劍自面前左裏、右髲進、紲、左髲支、劍平砍、左手護額、

裏砍圖

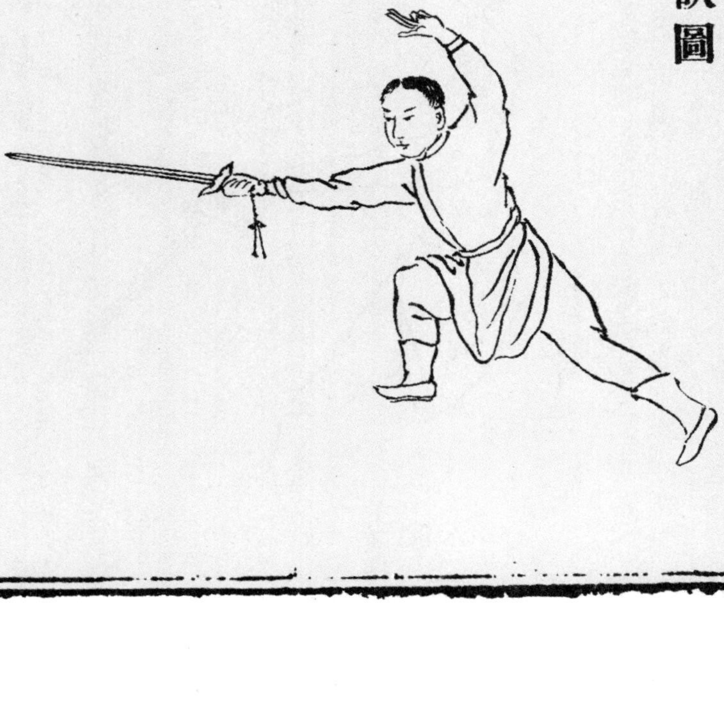

一勢　右轉身

右髖進、左手由肩窩捋肘、劍横頂上、左髖進步、身强轉、面向西北、劍力推、左手置頂上、

右轉身圖

二勢　陰手翦腕

左髲進、紲、右髲支、劍換陰手、繞左、右翦左手置腕下、

陰手翦腕圖

附挂翦

右髲斜進、劍隨勢外挂、左髲進、劍陰手翦腕、左手置腕下、

挂翦圖

三勢　左轉身

左髮進、左手由劍上捋肘、劍由左肘下暗渡、横於頂上、右髮進、身强轉、面向西北、劍力搨、左手置腕下、

左轉身圖

四勢　陽手翦腕

提左骽、劍隨裹、左骽落、右骽進、絀、左骽支、劍平砍、鋒稍低、左手護額、

陽手翦腕圖

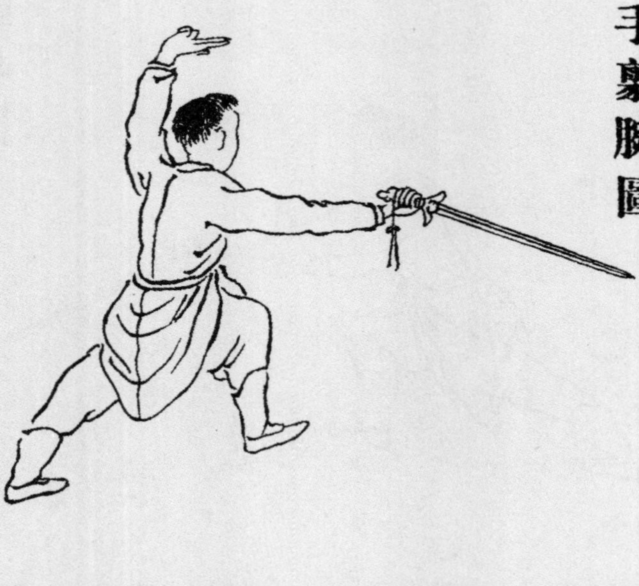

附筋斗劍

右髲進劍立面前、左肘立置劍後轉身、右髲退、左髲退與右髲並、左脚提、面正南、蹲身作小勢、劍隨身轉而後挂、又由後前劈、隨左手落至膝、

筋斗劍圖

五勢　中轉身

左鬆進、左手由劍上捋肘、劍由左肘下暗渡、橫於頂上、右鬆進、身强轉、面向正北、劍力揚、左手置腕下、

中轉身圖

六勢　陽手翦腕

提左髲、劍隨裹、左髲落、右髲進、紐、左髲支、劍平砍、鋒稍低、左手護額、（進步退步均可、視地勢廣狹爲之可也）

陽手翦腕圖

第五節　勾挂六劍

勾挂者、劍之行動率用之、以此取名者、因類似者多也、細數之有八勢、附加裏劍雲劍之故耳、路線如左

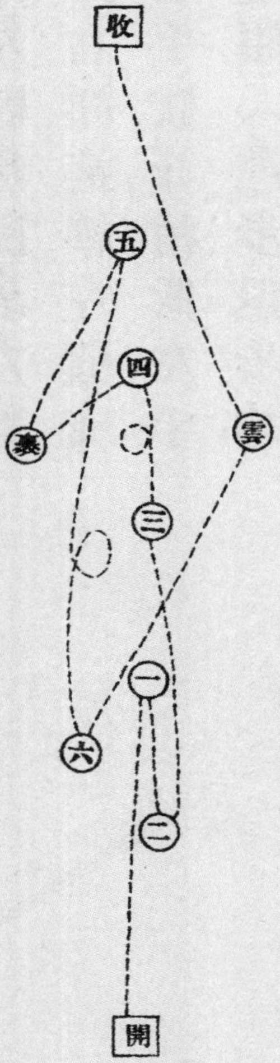

一勢　進步撩劍

由開勢左髲落、進、進右髲、紲、左髲支、劍於左髲落時、由後上撩、又隨右髲上撩、如風輪之輪轉、身平而止、左手護額、

進步撩劍圖

二勢 退步劈劍

右髮退、支、左髮絀、劍下挂而前劈、左手置腕下、

退步劈劍圖

三勢　倒步撩腕

右䯊進、劍撩、左䯊倒插、劍自左肩撩腕、身蹲、左手置身後、伸掌與劍成平線、鋒稍高、面向劍、

倒手撩腕圖

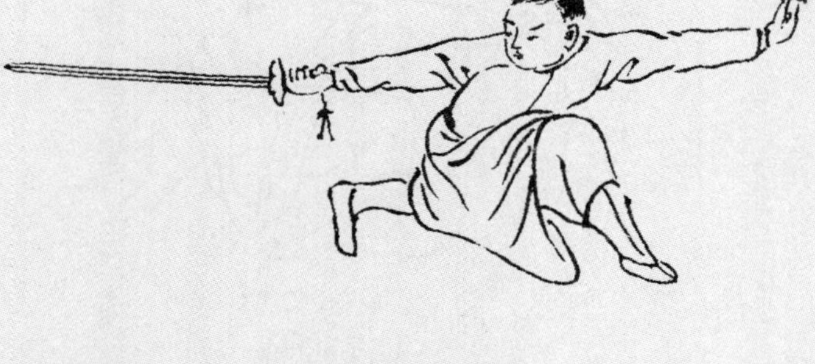

四勢　裹劍轉劈

身起、隨轉、右髈轉進、面南、劍隨身轉至左肩、順勢下劈、右髈絀、左髈支、左手護額、

裹劍轉劈圖

附裹劍

左髖進、右髖隨進、髖並、右脚提、蹲身作小勢、劍裹、柄置左膝前、左手置身後、作勾、

裹劍圖

五势　刺膝剑

右䯼进、摇剑、左䯼进、紕、右䯼支、剑阴手刺膝、左手置腕下、

刺膝剑图

六勢　轉身回刺

退左脚、進右脚、轉身、劍隨身陽手後刺、面西、左脚提至膝、左手置胸前、偏右、

轉身回刺圖

附雲劍

左䠞落進、右䠞進、紲、左䠞支、面西南、劍在頂上搖圈、攔腰平砍、左手護額、（所以加入雲劍者、轉身回刺、已達北端、非加此、不能收至南端、與他六劍同也、）

雲劍圖

第六節　風輪六劍

風輪者、視劍法之狀態以立名也、此劍宜稍速、如輪之轉、路線如左、

一勢　進步撩劍

由開勢左髲落進、進右髲、絀、左髲支、劍於左髲落時、由後上撩、又隨右髲上撩、如風輪之轉、身平而止、左手護額、

進步撩劍圖

二勢　退步劈劍

右骽退、支、左骽絀、劍下挂而前劈、左手置腕下、

退步劈劍圖

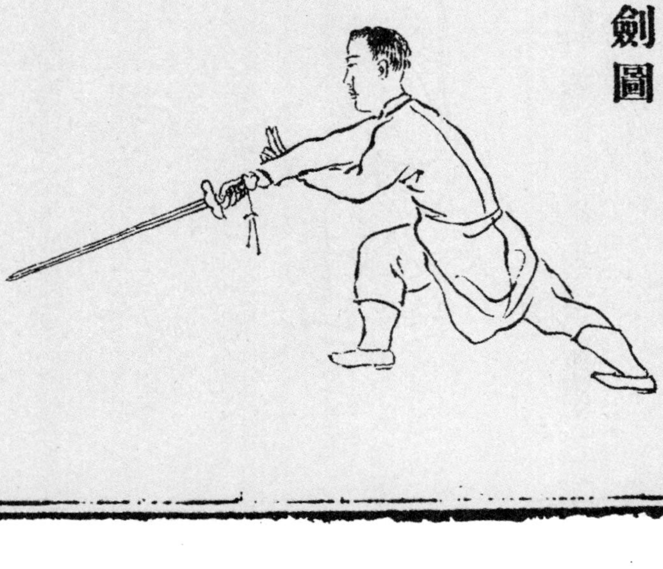

三勢　背後撩劍

劍隨劈劍下拉、左手置右肩窩、轉身、面西、進左䯁、劍順勢上撩、左手置胸前、外指、

背後撩劍圖

四勢　藏身劍

再轉身、面北、劍亦隨身轉至頭上、退右髖、面西南、劍挂、提左脚至膝、劍柄上提、劍身斜横胸前、左手置胸、偏右、目前視、

藏身劍圖

五勢　拗步盤根劍

左髲落、劍前挂、右髲進、左髲倒插、蹲身、劍隨勢前劈、眼回視劍、左手置頂上、

拗步盤根劍圖

六势　纵身劈剑

猛转身、身纵、右髲落前、绌、左髲支、剑随身轮劈、左手置顶上、

纵身劈剑图

附掩肘轉身劍

劍立面前、左髋進、左肘立置劍後、轉身、劍隨身下落、右挂、退右髋、顚、進左髋、絀、右髋支、劍陰手刺襠、左手置腕下、

掩肘翻身劍圖

第三章　結論

此三十六劍、爲諸劍之母、手眼步法、均須熟化、故練習貴緩不貴速、勢貴低不貴高、貴時時熟復以固根基、勿以古拙而輕視之、不惟劍也、刀、槍、棍、皆可用此法練習、不過手勢稍有變化耳、

三十六劍終

附錄

五行劍

連環劍

梅花劍

三才劍

三合劍

下部　器械

第一編　劍術

第一章　五行劍

五行劍用五行拳之勢法而舞劍也其步法身法大同而小異節中詳言之其名稱仍用劈鑽崩礮横五字

劍本右手執柄而左手或護額或捋肘或附柄或在胸或在背後作勾獨五行單力五行寶劍均用雙手與執朴刀同蓋手雙則力倍也劍柄短不能容雙手則左手只在柄頭用力耳

五行劍皆單練法每勢皆分左右僅寫起落兩圖者見左則知右見右則知左也練習無定數視也勢之長短耳學者當由此入手

第一節　劈劍

劈劍左勾則右骸落前右挂則左骸落前劍落時用全身之力勢甚猛厲最難防禦

一路線

二　起勢

劍左勾左骸進劍由後起至頂上右脚依右骸提起眼平視作欲落狀

起勢圖

落勢圖

三　落勢

劍與右骸齊落劍立劈左骸微跟

四　回身

右骸在前則左轉身左骸在前則右轉身身轉則前脚在後後在前仍然前脚進劍或左勾或右挂後脚提為起勢提脚前落劍立劈後脚跟為落勢右脚在前之路線如下圖

第二節　鑽劍

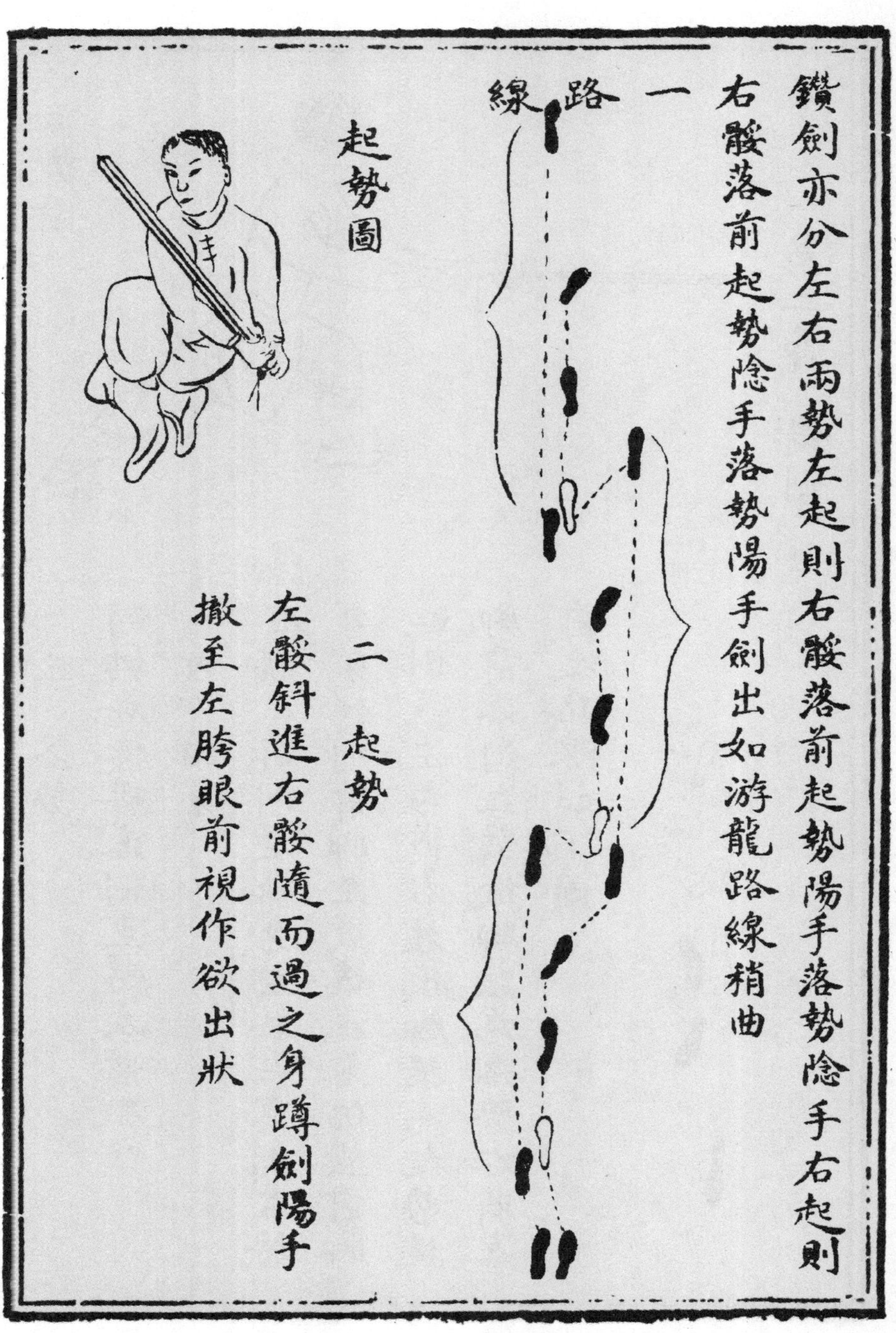

鑽劍亦分左右兩勢左起則右骸落前起勢陽手落勢陰手右起則右骸落前起勢陰手落勢陽手劍出如游龍路線稍曲

一 路線

起勢圖

二 起勢

左骸斜進右骸隨而過之身蹲劍陽手撤至左胯眼前視作欲出狀

落勢圖

三　落勢

右骸進劍外挂左骸進劍由上繞回成一小圈陰手翦腕左骸紲右骸交

四　回身

左骸在前則右轉身左為起勢劍陰手

右骸在前則左轉身右為起勢劍陽手

落勢同上左骸在前之路線如下圖

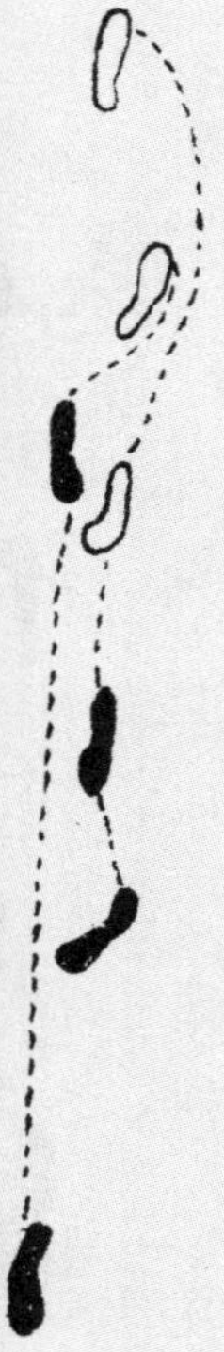

第三節　崩劍

崩劍皆翦腕劍亦分左右兩勢在左旁者右脚跟在右旁者左脚跟此其區別也無起勢分左右勢

二　左崩劍

左骽斜進若接右崩則左骽撤右骽隨至左骽而前進左骽直進右骽跟劍於左骽斜進時撤至左胯於左骽再進時翦腕鋒又斜

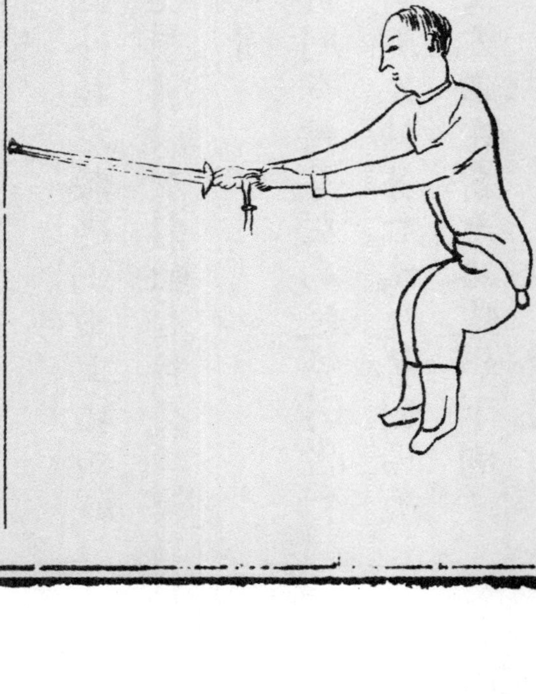

左崩劍圖

右崩劍圖

三　右崩劍

右骹撤左骹隨撤至右骹而前進右骹直進左骹跟劍於左骹撤時亦撤至右胯於右骹直進時翦腕鋒左斜

四　回身

崩劍回身有二一與崩拳回身相同一左骹在前則用左崩劍右骹在前則用右崩劍今舉左骹在前之路線如左

第四節　礮劍

礟劍左為托腕劍右為翦腕劍比崩劍稍高左則左勾右則右挂左右皆柄高鋒低用全身力

一路線

二 左礟劍

左骸斜進紲（此自開勢言之若接右礟劍為之則右骸先進左骸繼進右骸跟）劍自胸前左勾而上托右骸稍跟支左手護額

三 右礟劍

左骸進劍由胸前右挂而上托右骸進紲左骸跟支左手置肘下

左礅劍圖

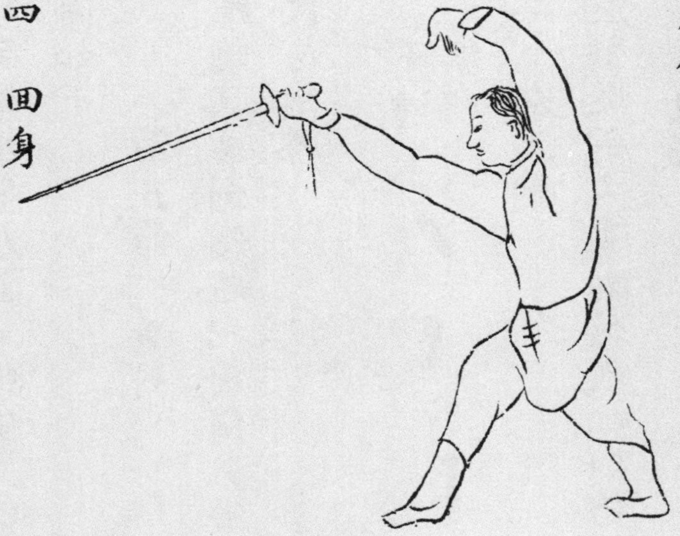

右礅劍圖

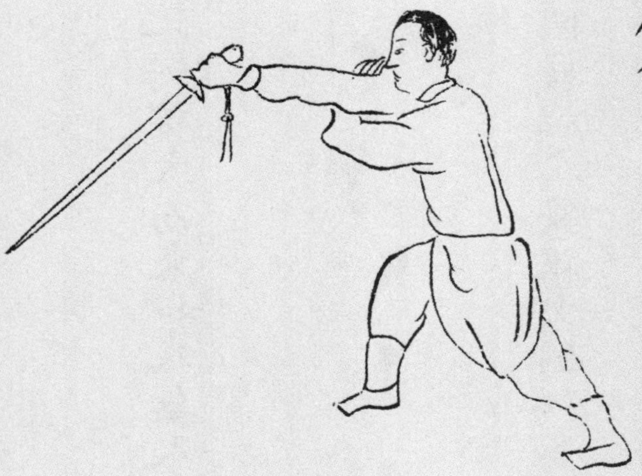

四 回身

回身同礅拳左骸在前則右轉身右骸在前則左轉身右轉身則作

左礮劍左轉身則用右礮劍今舉左骸在前之路線圖如下

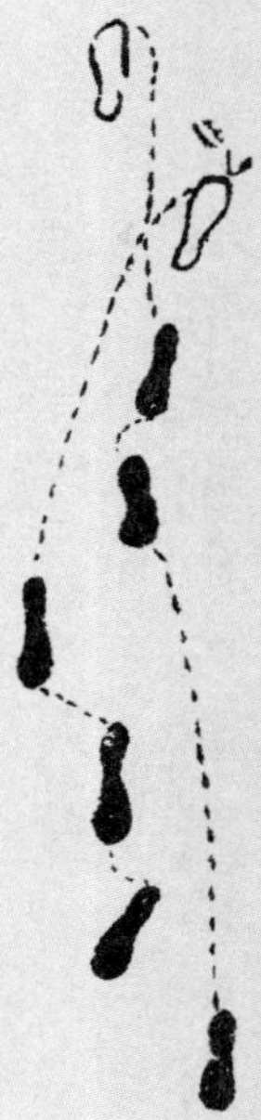

第五節　橫劍

橫劍與礮劍劍路相同獨步法異耳此劍勢大而束如入無人之境最易制勝

一路線

二　左橫劍

左骸進劍左裹右骸進紲劍由頂繞圈翦腕左骸跟支劍柄高鋒低左手護額

左横劍

三　右横劍

右骽進劍右挂左骽進絀劍由頂繞圈翦腕右骽跟支劍柄高鋒低左手置肘下

四　回身

右骽在前則左轉身左骽在前則右轉身如右骽在前則左脚轉為

右横劍圖

一右骽進為二左骽跟為三如下圖

第二章　連環劍

刀槍棍劍皆以拳為母錯綜五拳之勢而連續之合為一套進步退步如環之無端又進又退如環之相連謂之連環拳用其套而擒刀謂之連環刀盤槍謂之連環槍打棍謂之連環棍故曰連環劍之名本於連環拳也

此劍十勢各自不同往復練之乃還原勢以其進而復退退而又進也範圍較小練習於狹隘之地甚為適宜

第一節　路線

開勢收勢仍用常法與他劍同其路線如左

第二節　動作

一勢　進步崩劍

由開勢左骸落進右骸隨進抵左趾脚稍横劍隨右骸直進搖刺心左手拊柄兩骸稍曲

二勢　退步翦形劍

右骸退劍後挂左骸退劍由肩頭

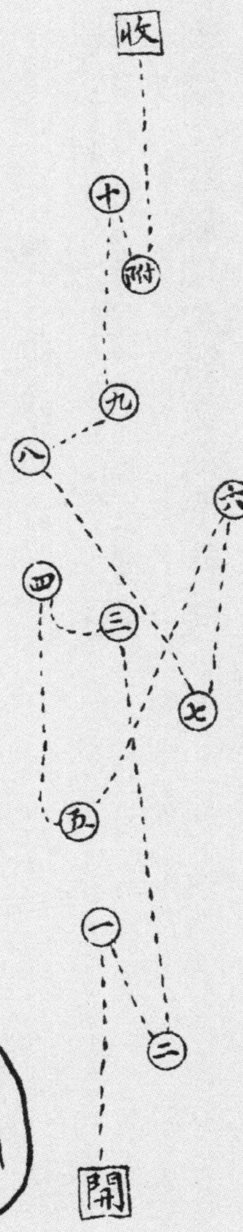

進步劍圖

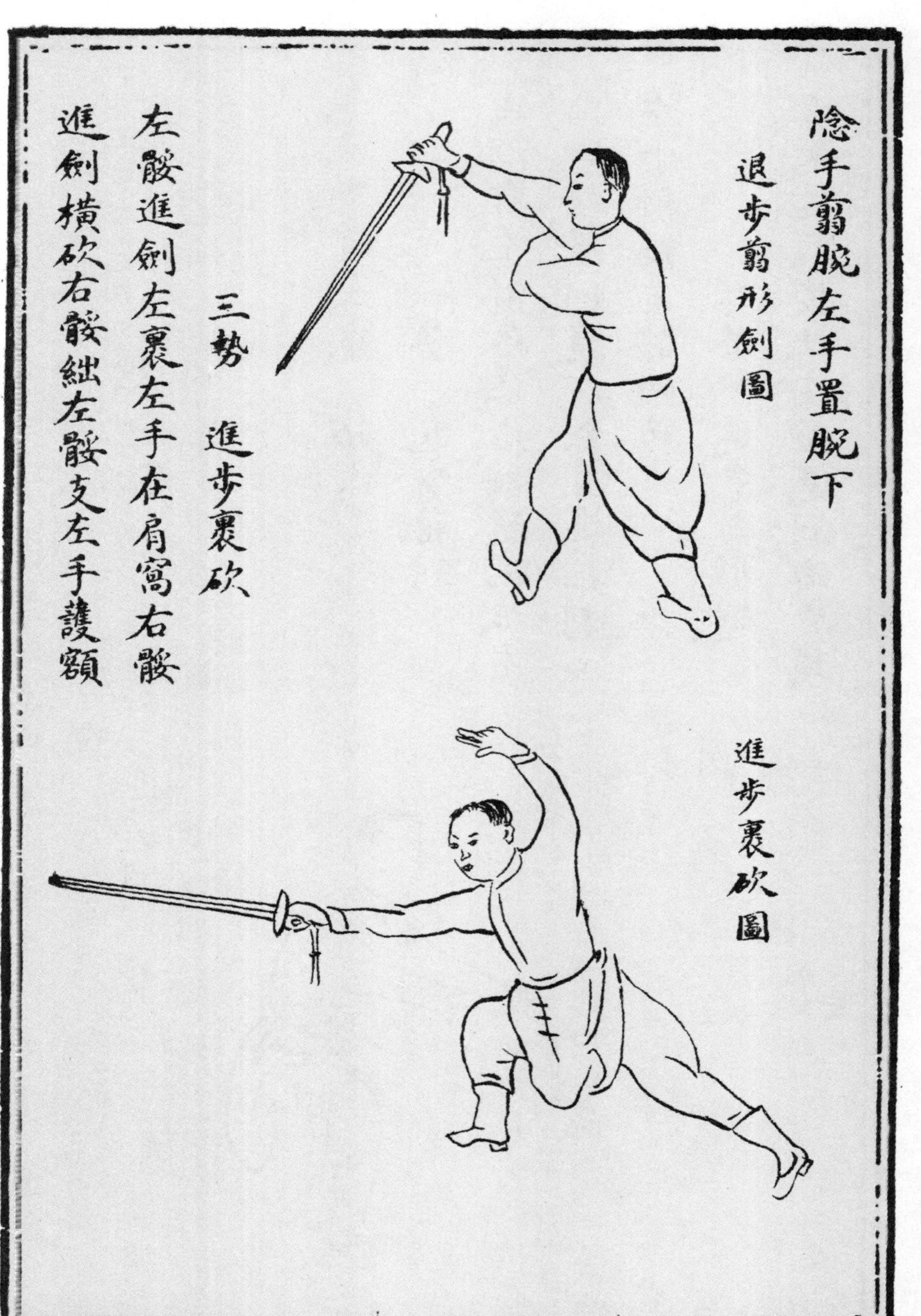

陰手翦腕左手置腕下

退步翦形劍圖

三勢　進步裹砍

左骸進劍左裹左手在肩窩右骸

進劍橫砍右骸絀左骸支左手護額

進步裹砍圖

進步刺劍圖

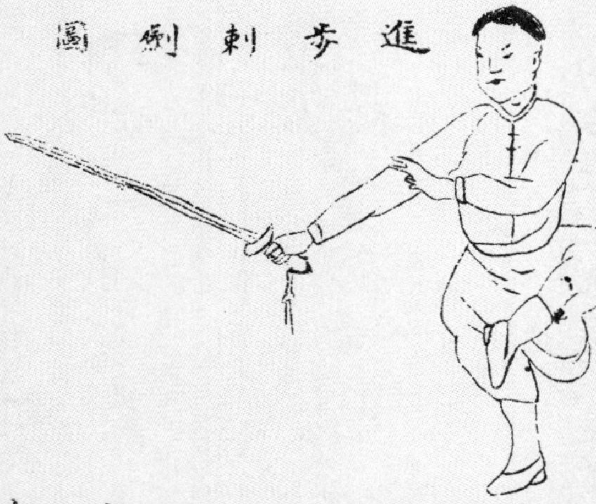

四勢　進步刺劍

身撤右骸撤提劍隨之左手拊柄右骸落進劍隨身陽手前刺即提左脚至膝右骸獨立而稍曲左手仍拊柄

五勢　轉身劈劍

左手落至柄前而後挦身轉右骸進劍隨身轉左手上起過頭身轉左骸進劍在身後左手在

退步轉身劈劍圖

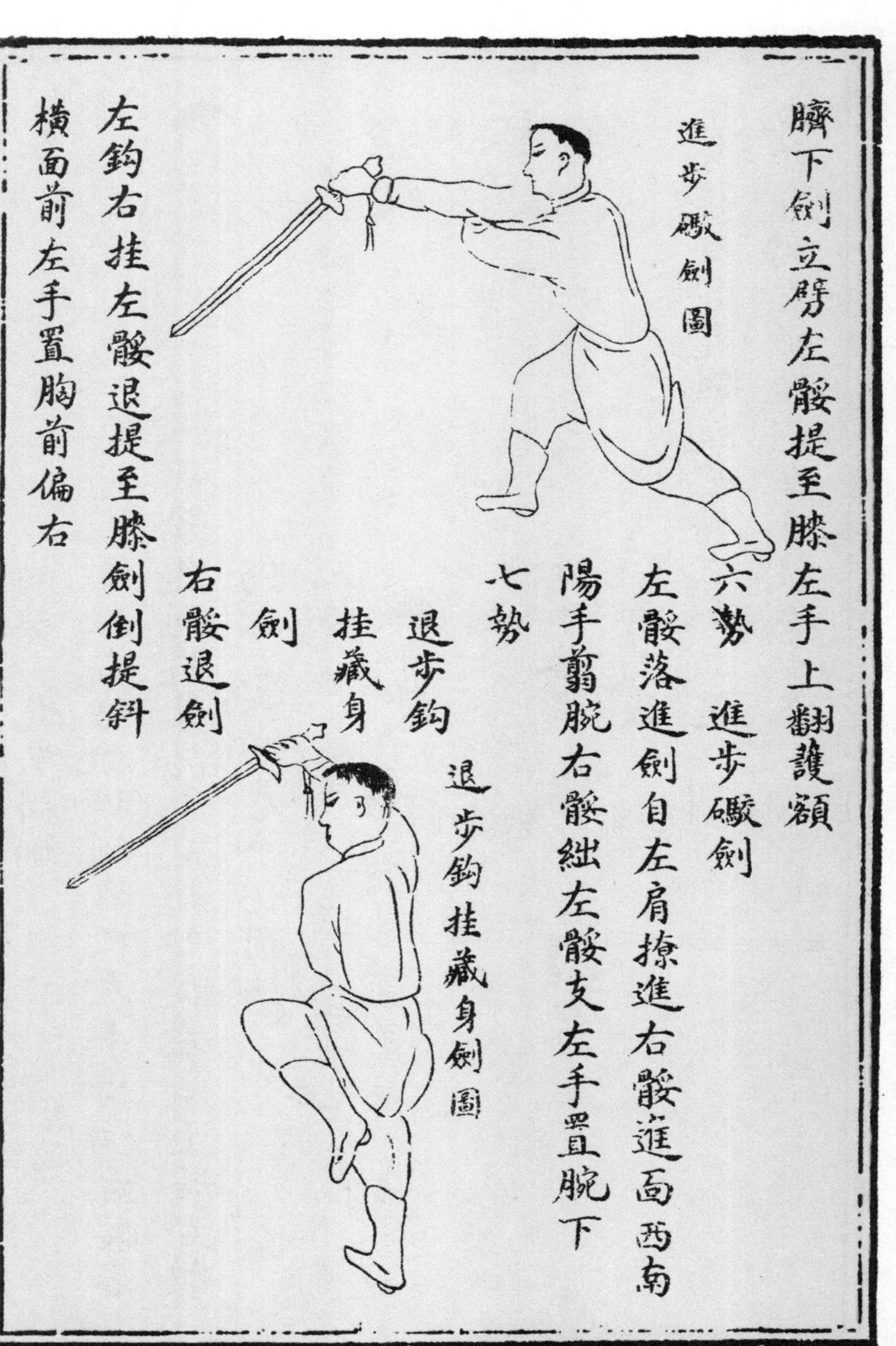
臍下劍立膀左骸提至膝左手上翻護額

六勢　進步礮劍

左骸落進劍自左肩撩進右骸進面西南

陽手翦腕右骸紲左骸支左手置腕下

進步礮劍圖

七勢　退步鈎挂藏身劍

右骸退劍

左鈎右挂左骸退提至膝劍倒提斜

横面前左手置胸前偏右

退步鈎挂藏身劍圖

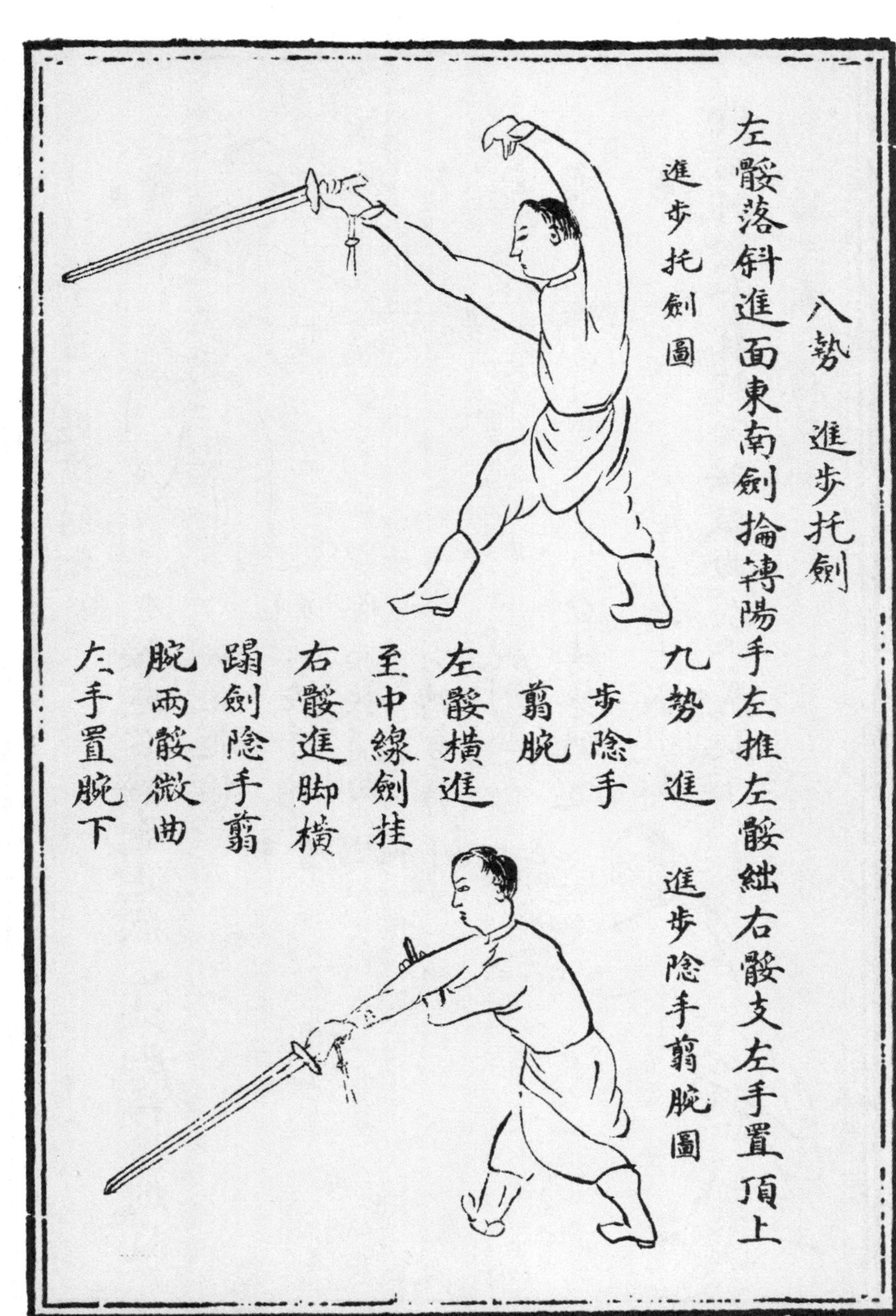

八勢　進步托劍

左骹落斜進面東南劍掄轉陽手左推左骹絀右骹支左手置頂上

進步托劍圖

九勢　進步陰手翦腕

左骹橫進至中線劍挂右骹進脚橫蹋劍陰手翦腕兩骹微曲左手置腕下

進步陰手翦腕圖

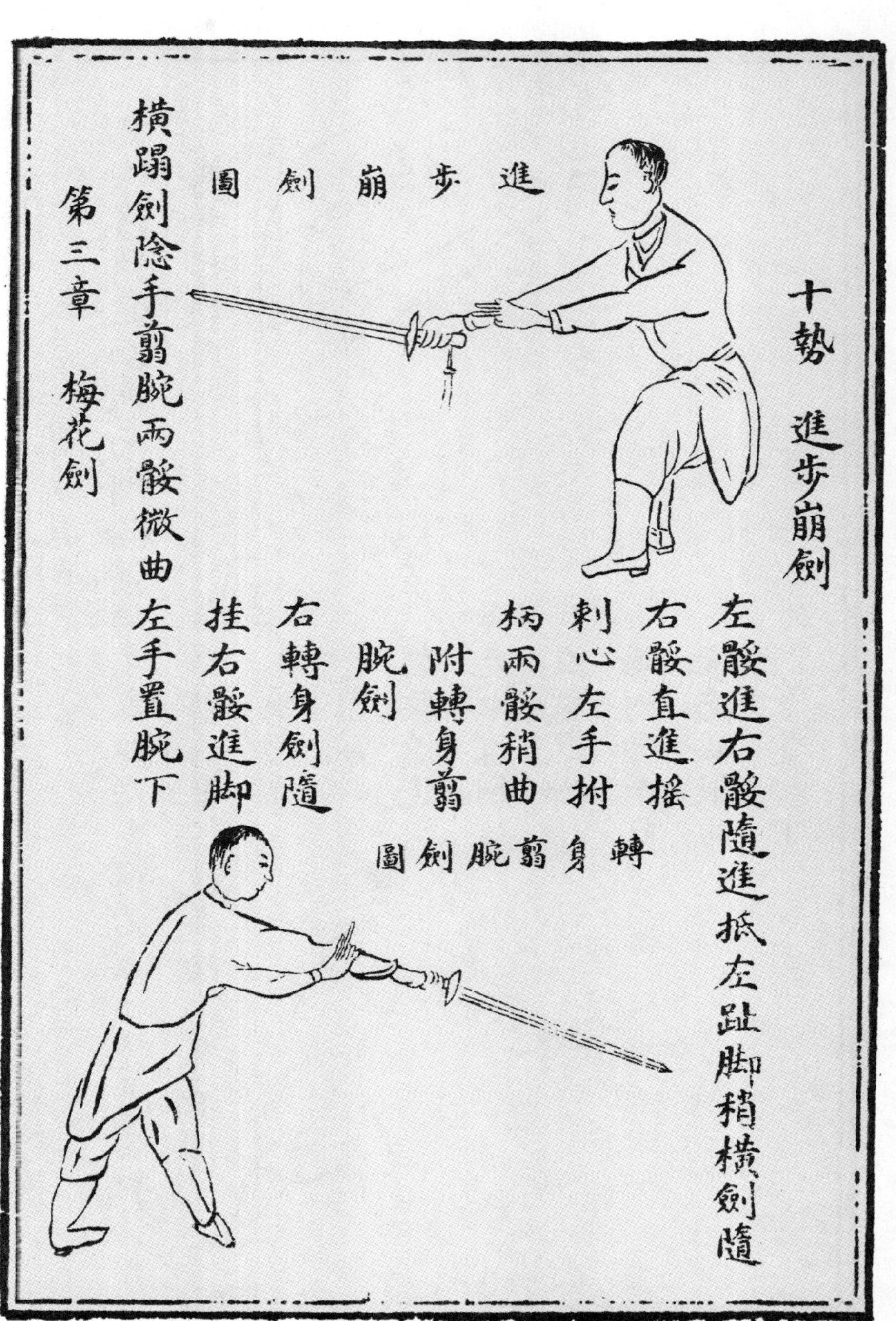

十勢　進步崩劍

左骹進右骹隨進抵左趾脚稍橫劍隨右骹直進搖刺心左手拊柄兩骹稍曲

附轉身翦腕劍

右轉身劍隨挂右骹進脚橫蹋劍陰手翦腕兩骹微曲左手置腕下

第三章　梅花劍

第一節 路線

1 1 開勢
2 3 推劍
4 5 右展
6 7 橫劍
8 9 右展
10 11 轉翦
12 13 捋肘
14 15 推劍
16 17 橫劍
18 19 鑽劍
20 推劍
21 22 收勢

第二節 動作

一 開勢

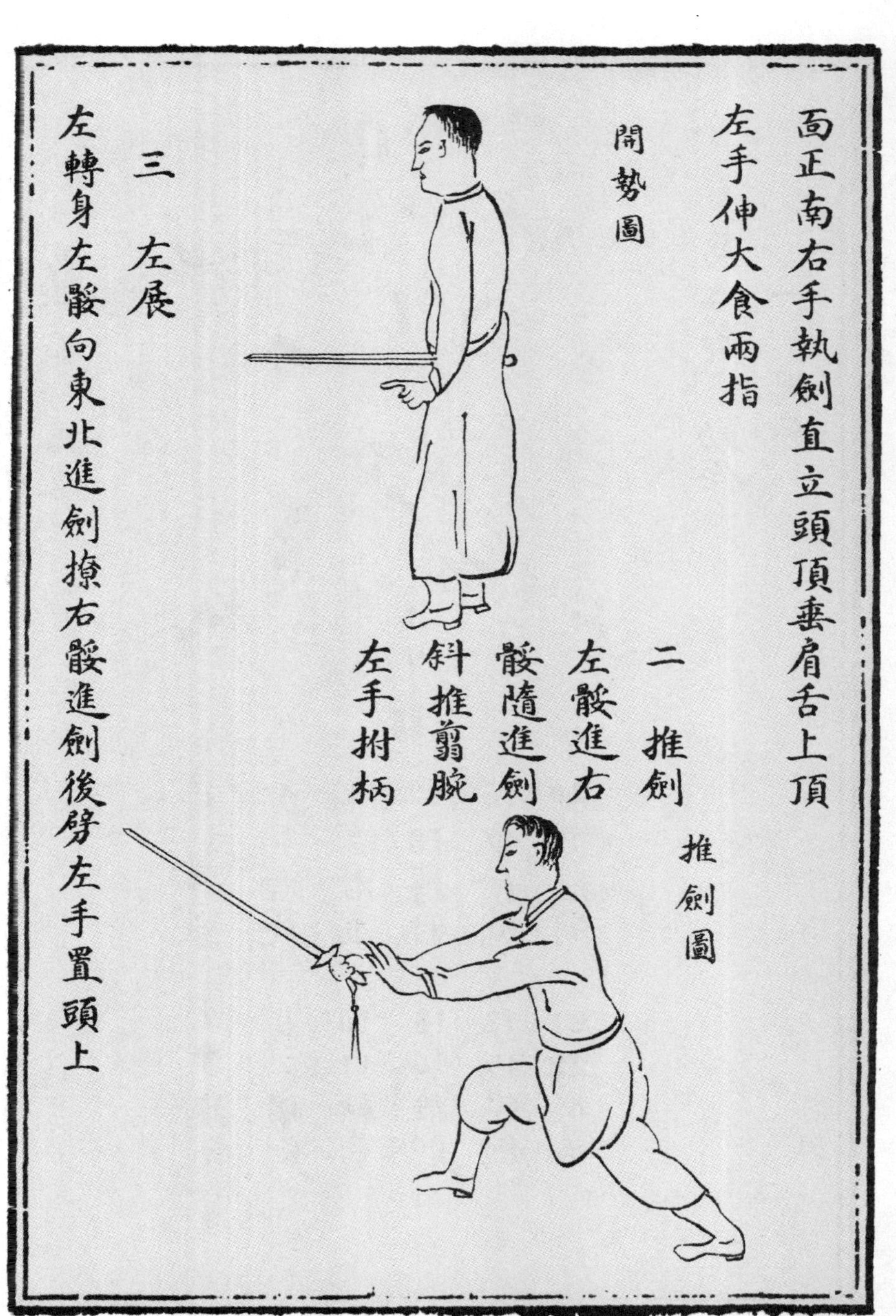

面正南右手執劍直立頭頂垂肩舌上頂左手伸大食兩指

開勢圖

二　推劍

左骽進右骽隨進劍斜推翦腕左手拊柄

推劍圖

三　左展

左轉身左骽向東北進劍撩右骽進劍後劈左手置頭上

左展圖四

橫劍

左轉身劍裏右骹進紲劍陽手翦腕左骹支左手護額面南

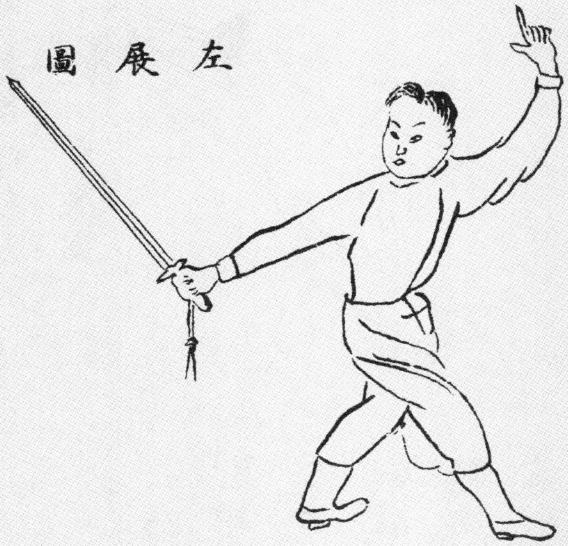

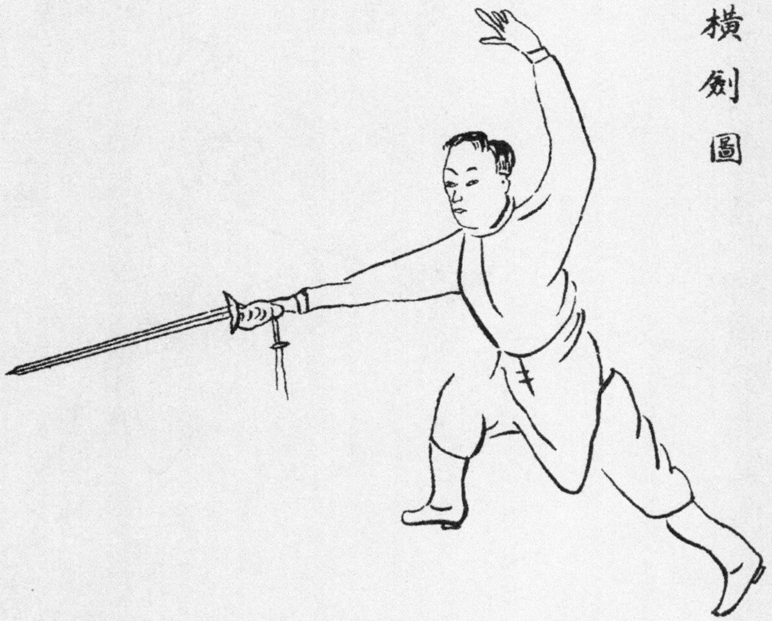

橫劍圖

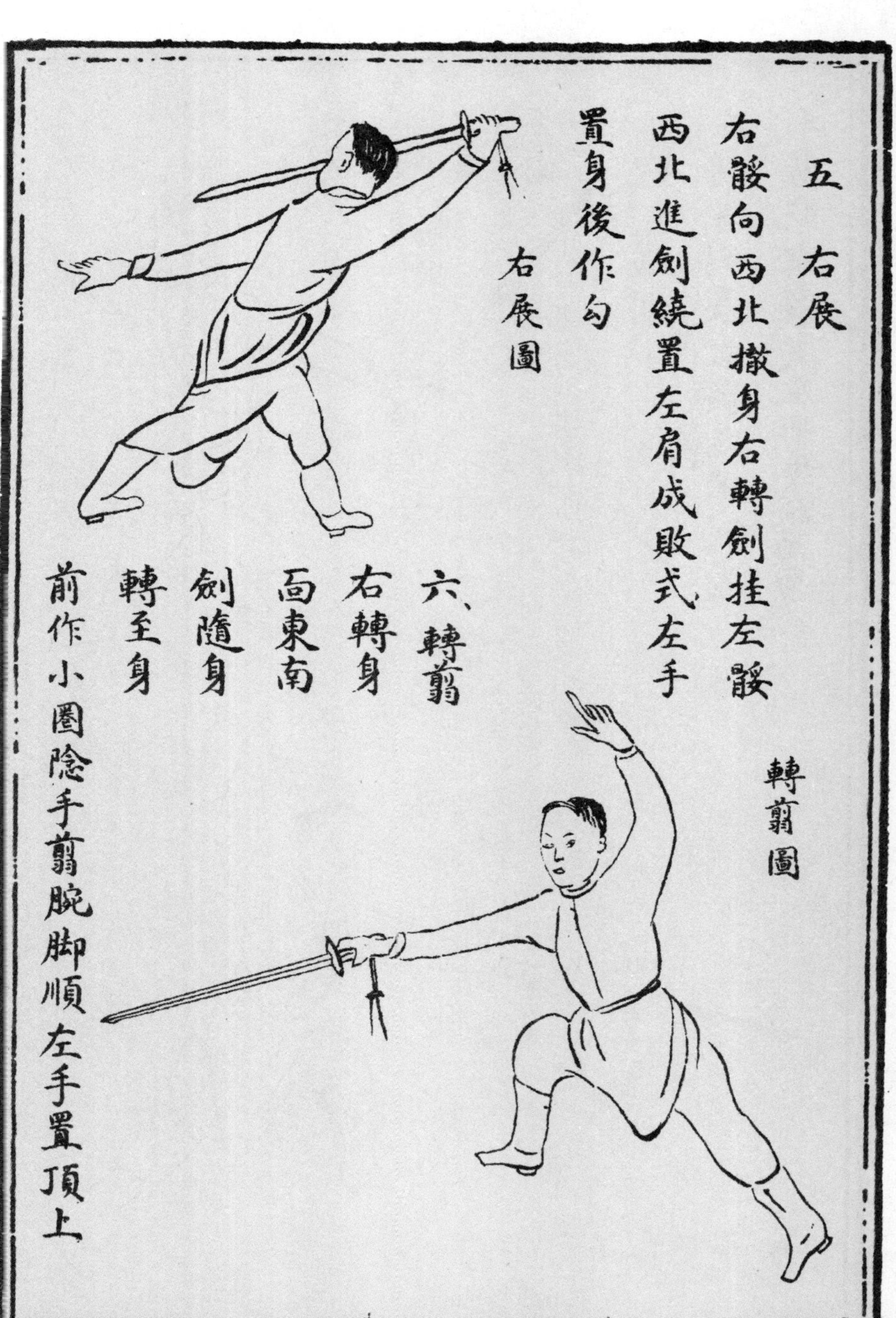

五 右展

右骸向西北撤身右轉劍挂左骸西北進劍繞置左肩成敗式左手置身後作勾

右展圖

六、轉翦

右轉身面東南劍隨身轉至身前作小圈陰手翦腕脚順左手置頂上

轉翦圖

七　捋肘

右骹與劍並撤左骹捋肘左骹向東南進右骹大進劍自左肘下鑽過身左轉右骹縱左骹支左手置肘下

捋肘圖

八　推劍

劍由膝下勾過右骹進縱劍又回鋒前推柄左鋒右左骹支左手拊柄面西北

推劍圖

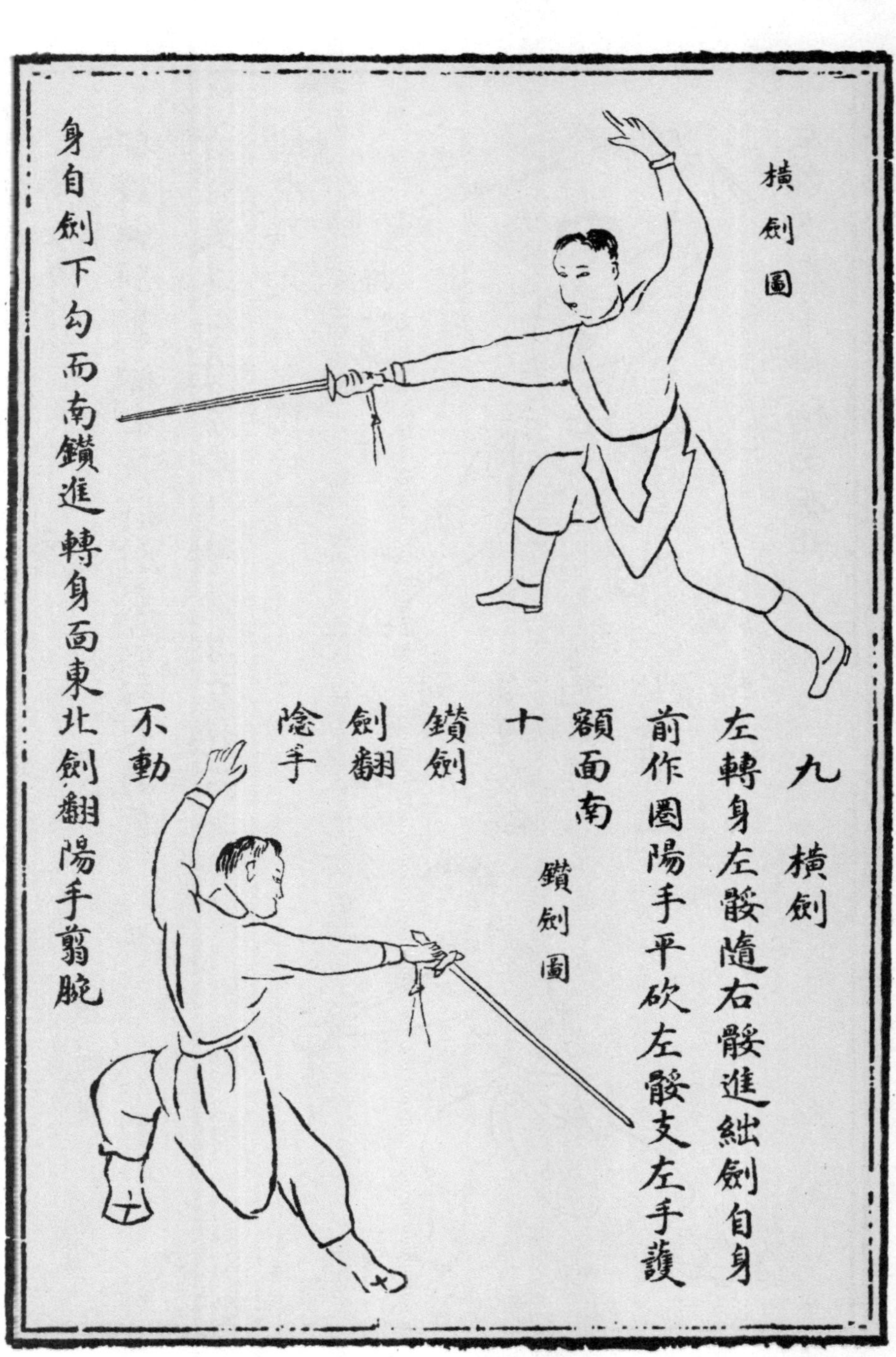

九 横劍

左轉身左骽隨右骽進絀劍自身前作圈陽手平砍左骽支左手護額面南

十 鑽劍

劍翻隂手不動身自劍下勾而南鑽進轉身面東北劍翻陽手翦腕

十一　推劍

劍由膝下外挂左骸進紲劍又回鋒前推柄右鋒左右骸支左手拊腕

推劍圖

十二　收勢

劍勾退左骸劍挂退右骸面北兩脚並立與開勢同

收勢圖

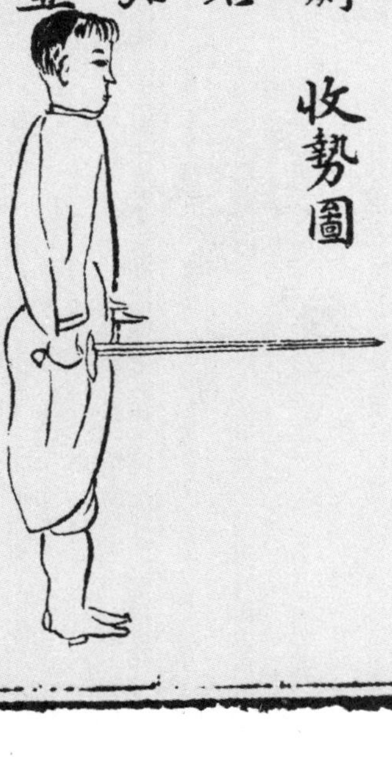

第五章　三才劍

天地與人謂之三才劍以三才名者因其變化玄妙無窮如天地也此劍分兩段平時練習合而為一有時對手復分為二蓋兩段適相生克攻防合宜也

第一段

第一節　路線

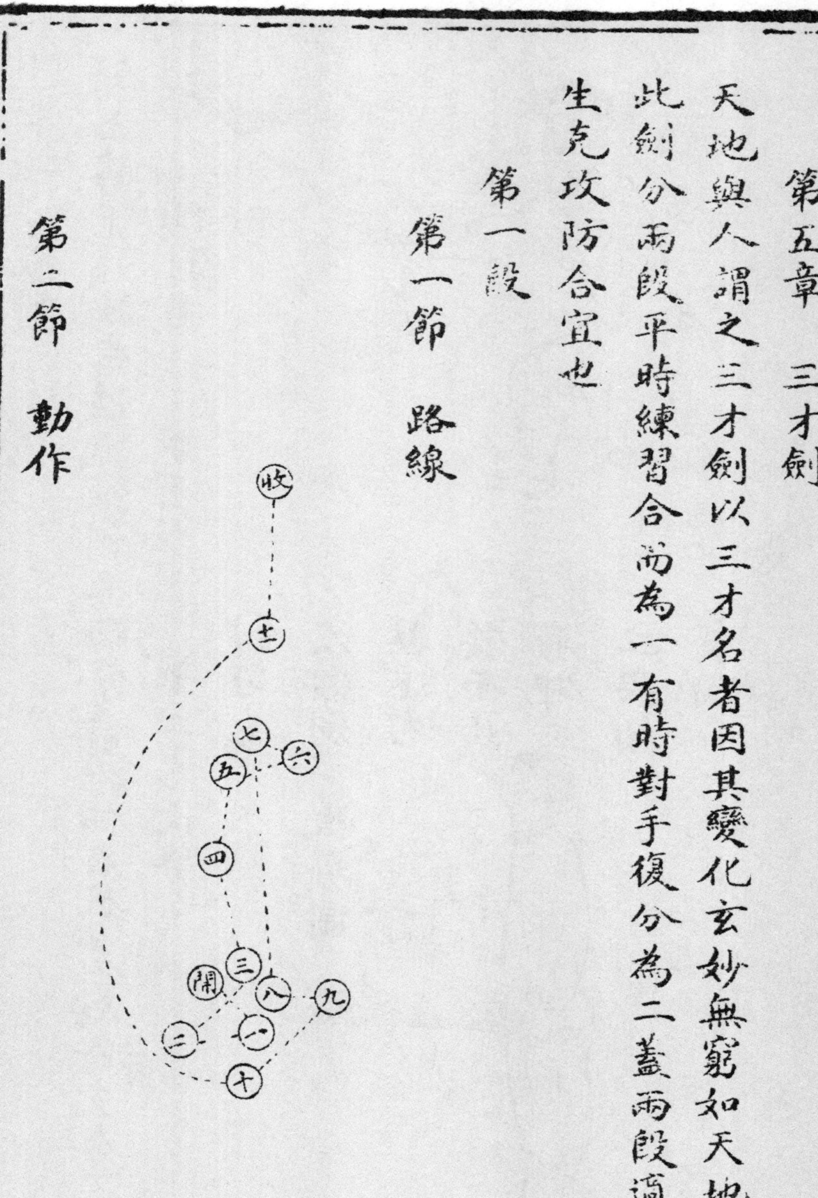

第二節　動作

一勢　起首単鞭勢

與路線成直角先將左腿前出同時右手持劍與左手亦前出復後收至腰際手掌前出為陰後收為陽劍刃向右左脚虛收左足前進右手握劍陽出左手隨之連進右足右手手心向外腕須曲以劍向後畫圓形劍刃向下左手亦如之

左足引靠右足

左手上指右足踏一步左腿提起然後身轉向左落左足成弓步劍平刺刃向右左手後指

単鞭勢

右腕猛落使劍尖上撩然後進右足同時右手手心向外右腕曲折以劍向後畫圓形左足引靠右足左手則自心口鑽出由下旋回而

後指落此勢時手足劍三者要合猛落腕左手上指右劍持平成单鞭勢

二勢　提左足裏截腕

右足後撤急提左足同時右手持劍向下錯之左手輔助右手劍刃向右手心向下上體微向前傾小腹微向後收此截腕也

三勢　搖劍

左足着地手不變惟曲腕使劍直立面側此上搖劍也

搖劍

右手然後右足前進成弓步劍向前平刺

刺脇

四勢　提右足下截腕

劍隨即由左旋下同時右足提起左手上指劍刃仍向右身體稍向左側右手持劍在右膝外此下截腕

（以上三劍上中下連貫一氣所以名三才也）

五勢　刺脇

右手持劍向裏纏裹劍刃轉向下左手即附

六勢　右剪臂

右腕後撤至頭之右側手心斜向外劍刃斜向上此時右手後指左足跟步兩膝相交成剪子股式腿不動身體向左扭右劍向左裏與身平行劍刃向上劍身與人身均斜立然後進左足成弓步劍由下旋回而斫之劍刃轉向右劍尖低下同時左手附於右手

右剪臂

七勢　左裏劍刺喉

身向左扭右足微進同時劍向左裏劍刃向左劍尖向上昂兩手約與肩平然後進右足提左足同時左手上指右劍前刺與肩平劍刃仍向左

八勢　猛落劍刺心

左足向右後斜落兩膝相交成剪子股式低同時左手下指在胯間右劍下落藏於膝下然後右足後退同時左手上指右劍斜刺與肩平劍刃向下高

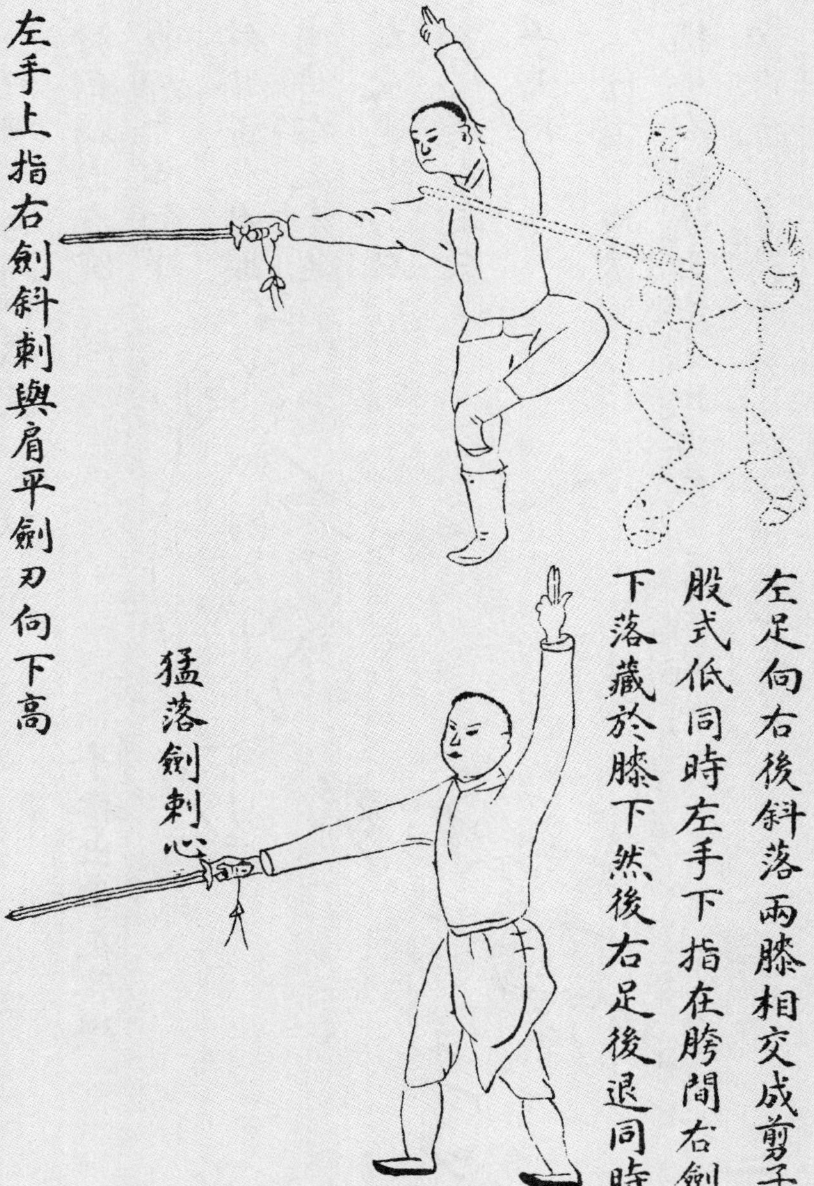

猛落劍刺心

九勢　勾掛劍截腕

將劍摘出右腕曲折手心向外鈎掛而後截腕同時右足先進左足連進（向左方）複提右足左手上指

十勢　右展

猛落右腕隨即右足後落成弓步同時劍向後挽劍身持平與下挽齊距離少許左手撑出掌在腰際

右展

十一勢　轉身截腕

先提左足後退數步然、後由左猛向回轉左脚橫落兩膝相交成剪子股式同時右劍裹出右肘須低劍刃向左左手附右手勢極低下

十二勢　提左足下剪腕

右劍上舉而下砍同時提起左足左手上指

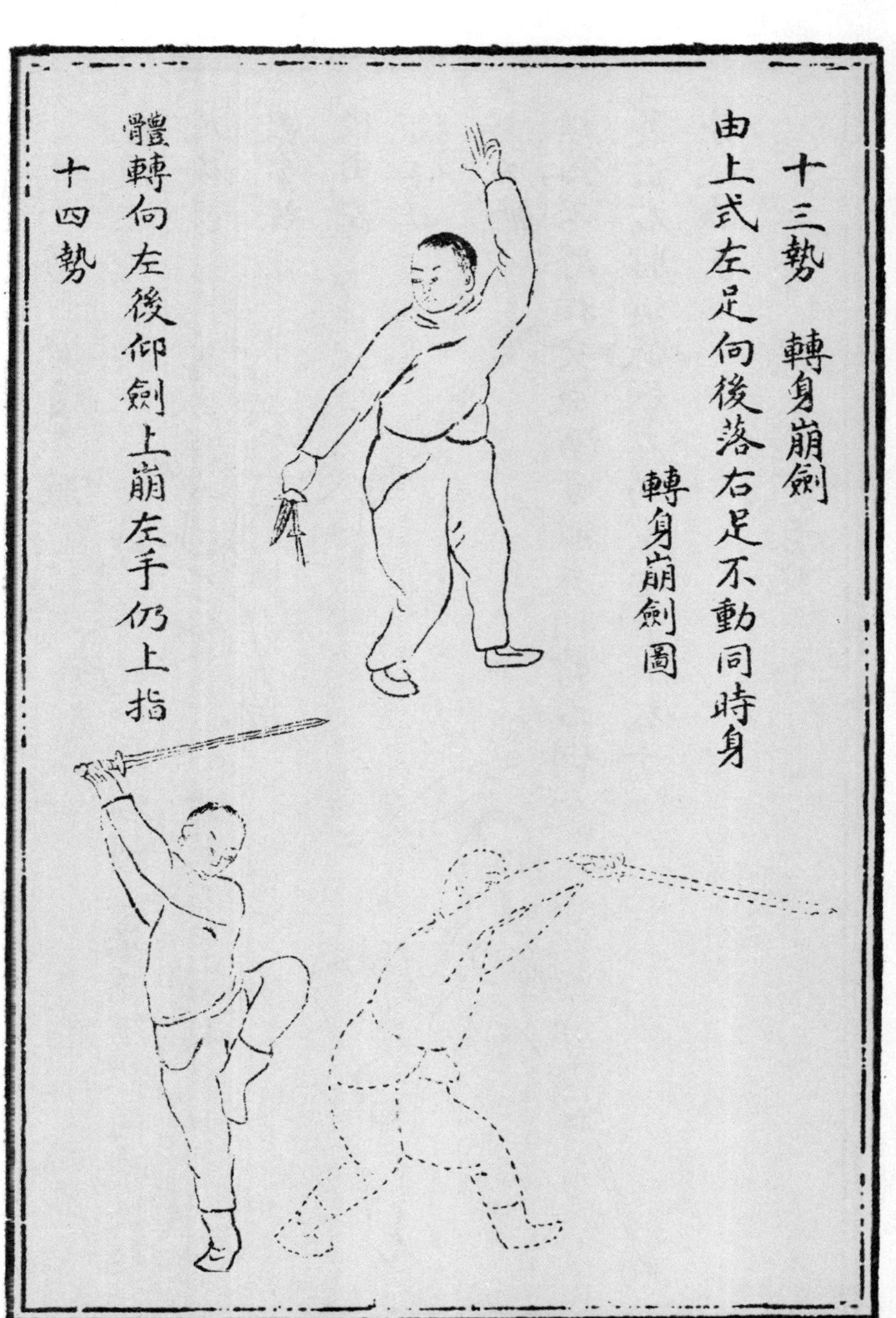
十三勢　轉身崩劍
由上式左足向後落右足不動同時身
轉身崩劍圖
體轉向左後仰劍上崩左手仍上指
十四勢

右腿向左後方斜退成弓步同時身體轉向右稍向前探左手附手以劍自下向上畫圓形劍刃在上及至後旋劍至頭上時左腿隨起隨落劍則摟右腿前出掌心向上劍須橫平左掌與右掌平行若捧物然連進右足微向左偏走成大半圓至路線彼端左側左足在前作撕劍式

附撕劍

右足向左後退一大步左足足尖稍向右移成左前弓步勢同時以劍畫圓弧貼左腿撕出劍刃向上劍身須平左手向後下方指出右手手心向右右臂竭力撐勁

十五勢　刺脇

進右足將劍向前平刺劍尖與心口齊左手扶助右腕是謂刺脇

十六勢　抱劍

身向左轉右足後移以弓步變為騎馬勢同時將劍收回右手手心向上劍刃向右左掌附着劍靶距胸少許成抱劍勢

十七勢　收勢

身體低縮而右偏劍則右出

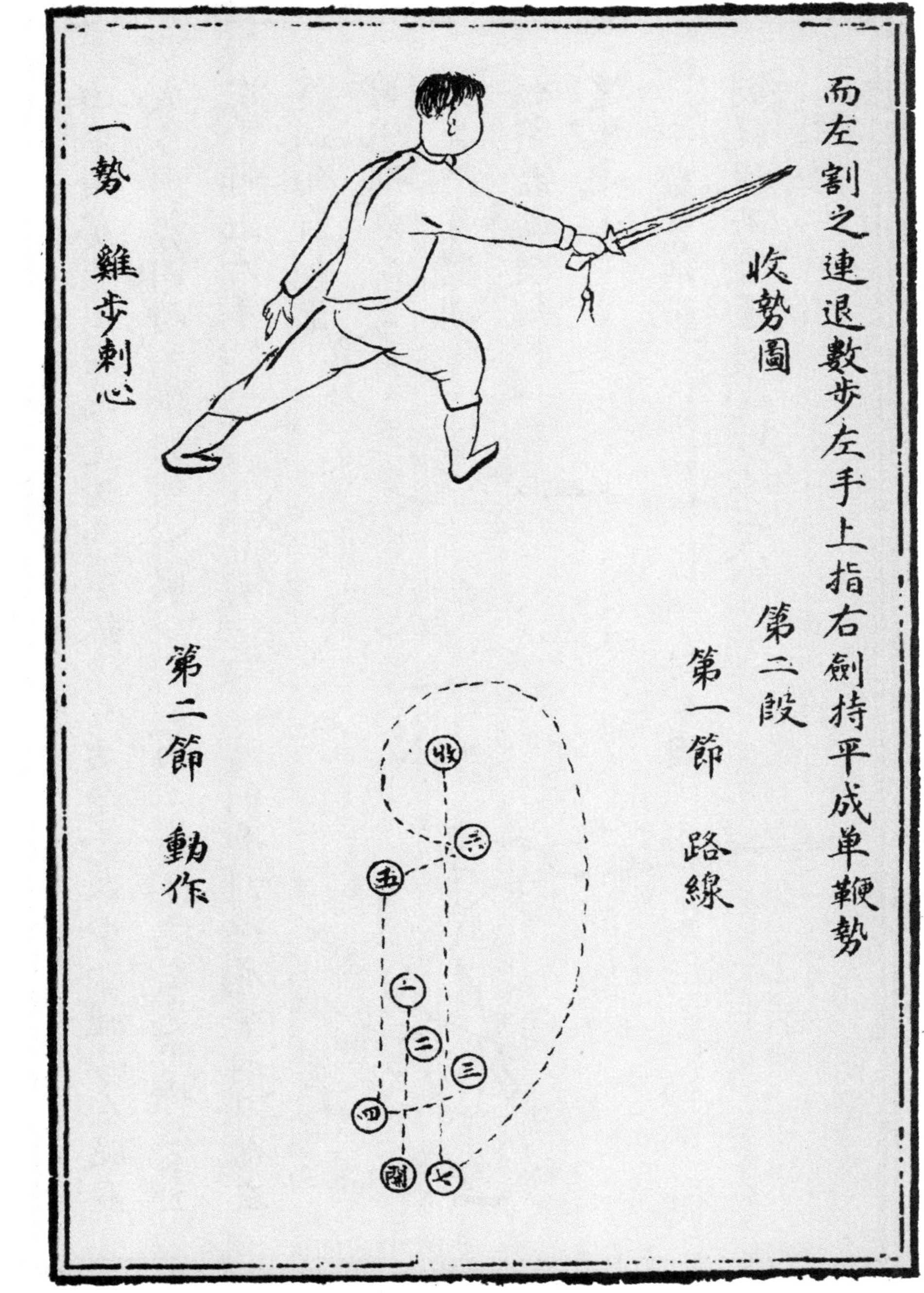

而左割之連退數步左手上指右劍持平成单鞭勢

收勢圖

第二段

第一節 路線

第二節 動作

一勢 雞步刺心

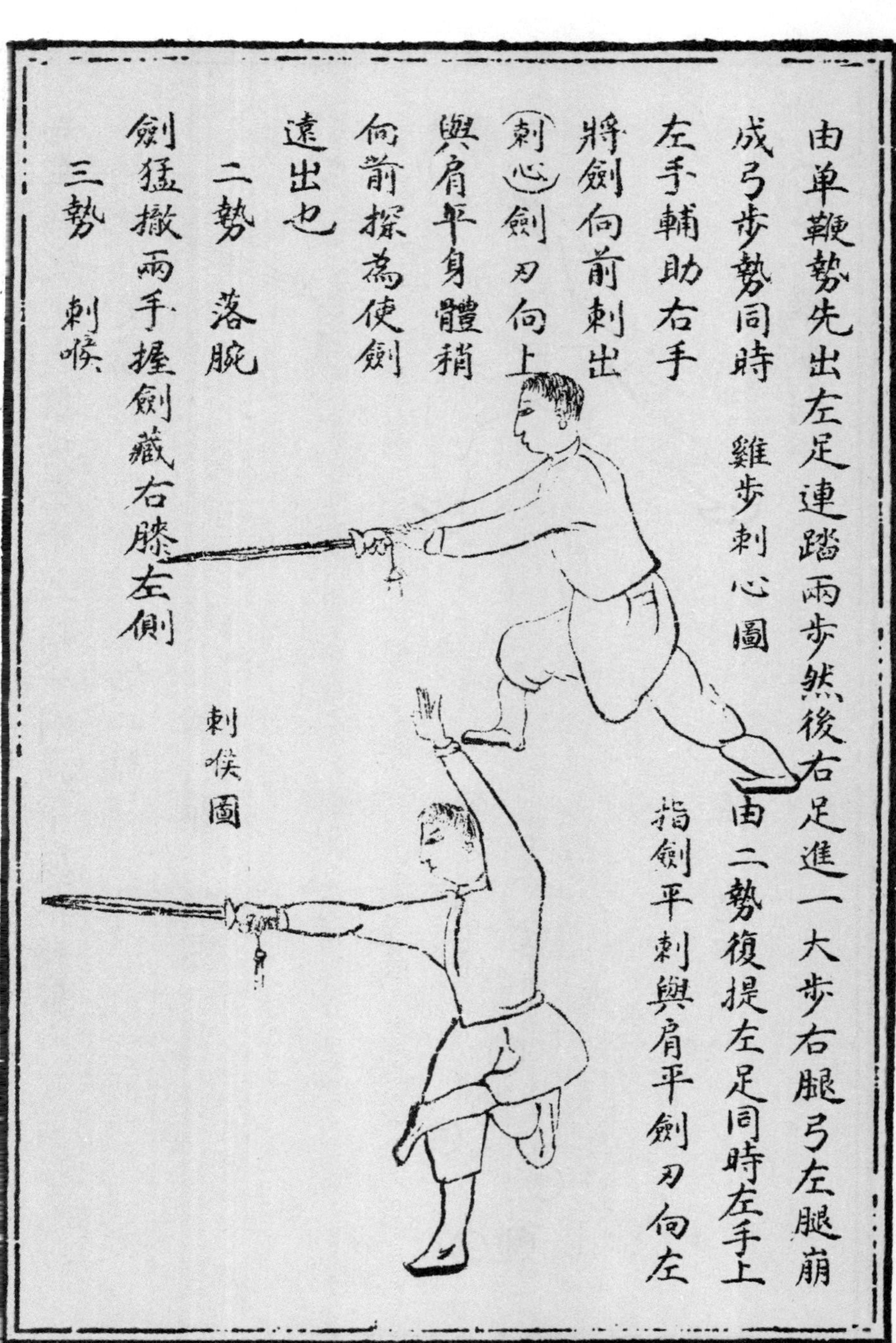
由單鞭勢先出左足連踏兩步然後右足進一大步右腿弓左腿崩成弓步勢同時左手輔助右手將劍向前刺出㊀刺心㊁劍刃向上與肩平身體稍向前探為使劍遠出也

雞步刺心圖

二勢　落腕

劍猛撤兩手握劍藏右膝左側

三勢　刺喉

由二勢復提左足同時左手上指劍平刺與肩平劍刃向左

刺喉圖

四勢　下截腿

左足後落身轉向左成騎馬勢同時右劍自上而下從左砍腿劍刃轉向右

五勢　抱劍

同上節十六勢

六勢　外點腕

右足後撤兩膝相交成剪子股式同時左手後指劍前點

七勢　刺喉

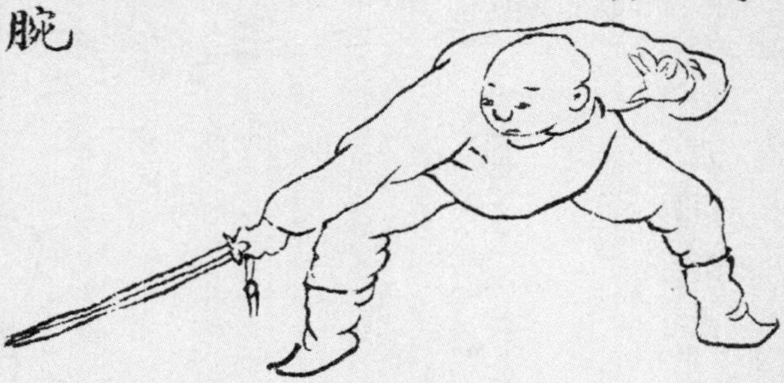

劍自右膝下撤收復向上刺出與肩平劍刃向右同時提左足右手輔右手

八勢　前劍

左足向右後斜落成剪子股式身轉向左斜右腕曲折使劍尖上撩

九勢　撩腕

身體轉向左兩腿分立同時左手上指右劍仍上撩

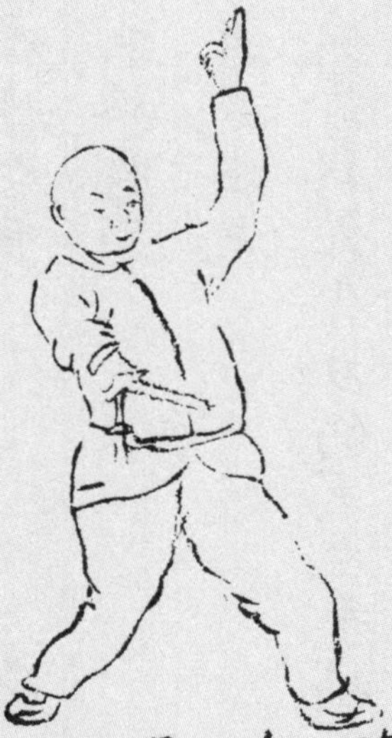

十勢　轉身截腕

左腿左進隨即身向右閃而右足向左後一步同時劍前點而復收回腰際左手下垂左胯

十一勢　雞步刺頭

進步刺頭圖同進步刺心惟劍稍高耳

十二勢　下截腿

兩腿齊進成騎馬勢與四勢同唯劍從右下砍劍刃向左左手上指

十三勢　刺心

左足向右後斜退成剪子股式同時劍收右膝左手垂於胯旁再退左足劍前刺齊肩刃向下左手輔之

十四勢　托腕環走刺脇

劍後挽至頭右側時左足提起復進左足

劍自下兜上（兩手姿勢同十七勢）走成半圓繼作刺肋勢

十五勢　抱劍

同上節十六勢

十六節　撕劍

同上節附撕劍

十七勢　劈頭

進右足同時劍從左轉上而劈頭左手上指再折左腕劍向後旋回

連退數步成單鞭勢

第六章　三合劍

三合劍者最精奧最應用之劍也三體合三節合心意氣合始可言三合也此劍樸實無　剛而含柔實而含虛虛中有實雖起承轉合亦皆精確絕倫劍之精者能攻防合一虛實無定攻中含防防中有攻敵意其虛者吾即以虛者實之敵意其實者吾即以實者虛之變化不可方物此劍足以當之

第一節　路線

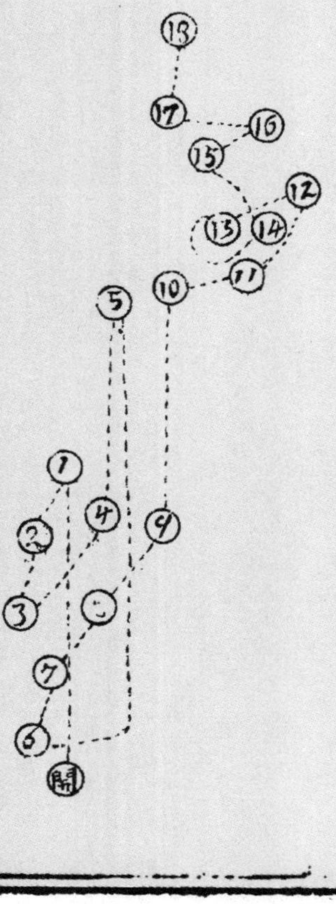

第二節　動作

一勢　单鞭勢

開始為单鞭勢面對路線兩腿自然併立左手上指手心向後右手持劍下垂劍身須平劍刃向下圖與三才劍第一段二節一勢同

二勢　雞步刺心

圖說同三才劍第二段第二節一勢

三勢　猛落腕

猛落右腕劍尖上挑身體須向下縮

四勢　单鞭勢

右足即行靠左足左手上指右劍平持面向左仍成单鞭勢

猛落腕圖

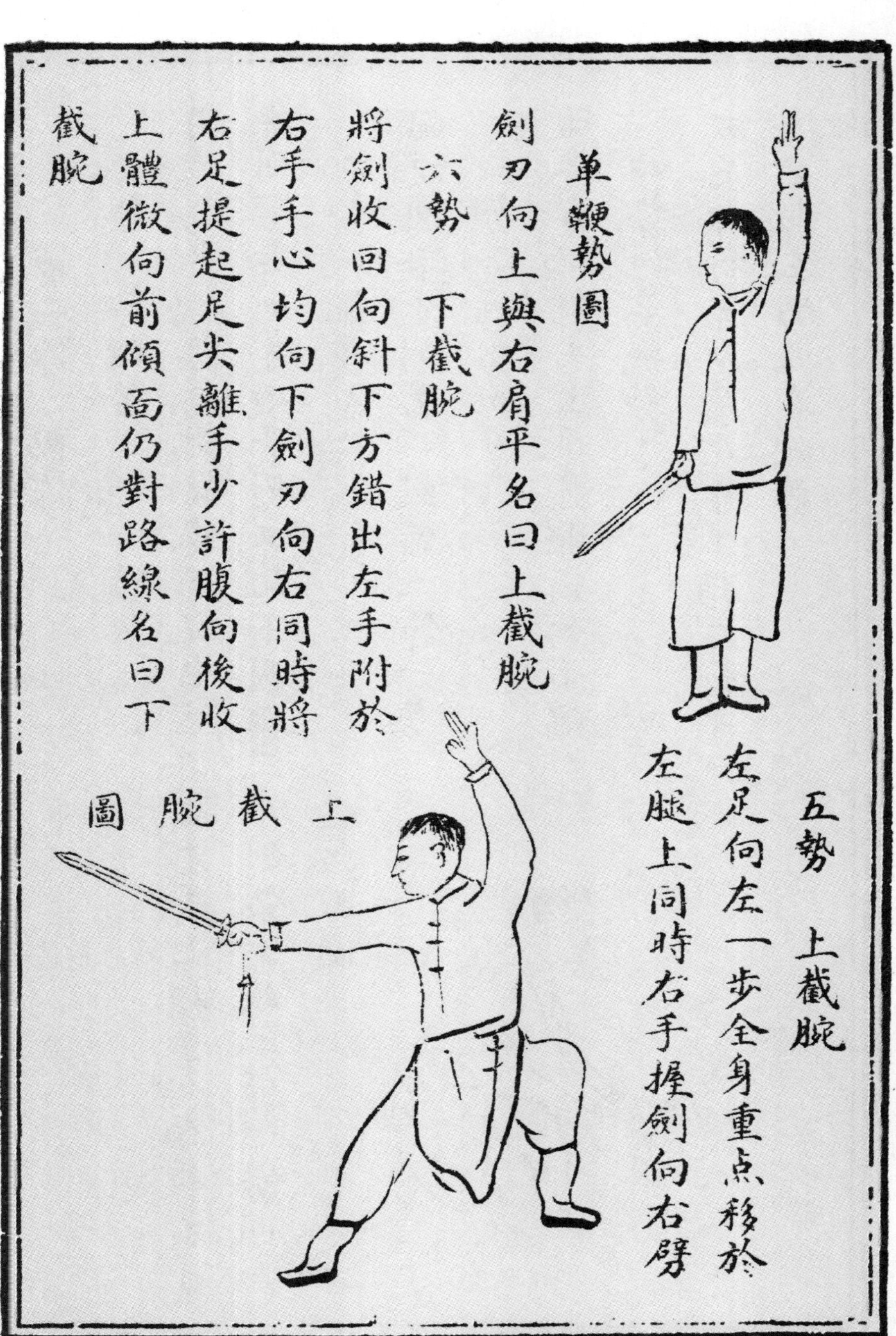
五勢 上截腕
左足向左一步全身重点移於左腿上同時右手握劍向右劈劍刃向上與右肩平名曰上截腕

單鞭勢圖

六勢 下截腕
將劍收回向斜下方錯出左手附於右手手心均向下劍刃向右同時將右足提起足尖離手少許腹向後收上體微向前傾面仍對路線名曰下截腕

上截腕圖

下截腕圖

七勢　刺脇

圖說同三才劍第一段第二節十五勢

八勢　抱劍

說同三才劍第一段第二節十六勢圖如下

抱劍圖

九勢　撕劍

說同三才劍第一段第二節附撕劍圖如左

十勢　刺脇

復進右足成弓步兩手握劍向前平刺圖與三才劍第一段第二節

撕劍圖

十五勢同

十一勢　抱劍

抱劍勢同七動

十二勢　撕劍

撕劍同九勢

十三勢　刺脇

進右足劍平刺同十勢

十四勢　劈頭

急將右手後撤左脚前進右脚連進成弓步同時右手手心向外翻以劍畫成圓形從上向前劈出右手齊肩劍尖微昂左手向後下方指出名曰劈頭劍

劈頭劍圖

十五勢　退步外截腕

右手仍右捋使劍尖向左下方点之同時左手從後向前復向左捋與右手一齊動作此時兩臂外張如鳥之兩翼飛隨即用碎步向後急退以足尖点地退至適當距離以右足支地向左後斜跳兩脚再一齊落地右脚在前而全身重点移於左腿上兩腿微曲同時劍由下方從左向右畫圓弧劍刃向下劍尖低

退步外截腕圖

與膝齊左手輔助右手與小腹距離少許名曰外截腕

十六勢　取耳

兩足齊進同時右手手心轉向上劍刃亦向上劍尖微昂兩手舉劍與口平向前刺出名曰取耳

十七勢　下截腿

兩足齊向前躍進身體轉向左成騎馬勢上體稍向前傾同時左手上指右手握劍向右下砍之手心向下劍刃向

取耳圖

右手與臍同高劍刃則稍低矣

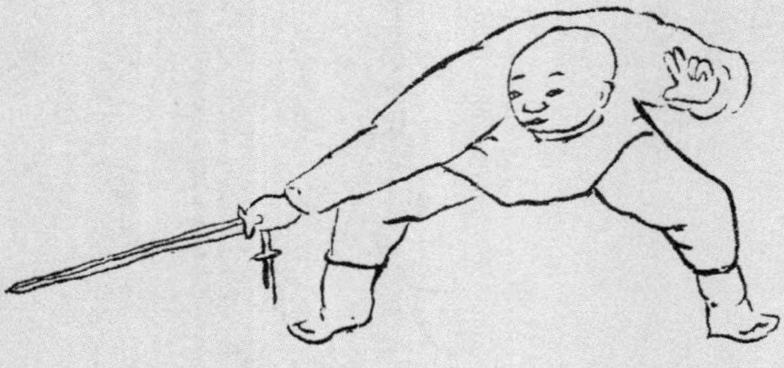

十八勢　抱劍

抱劍同七勢

十九勢　撕劍

撕劍同八勢

二十勢　刺脇

刺脇同九勢

二十一勢　劈頭

劈頭同十二勢

二十二勢　单鞭勢

右脚向右後退一步左脚引靠右脚右手向右捋使劍尖下点隨即持平劍身左手上指成单鞭勢

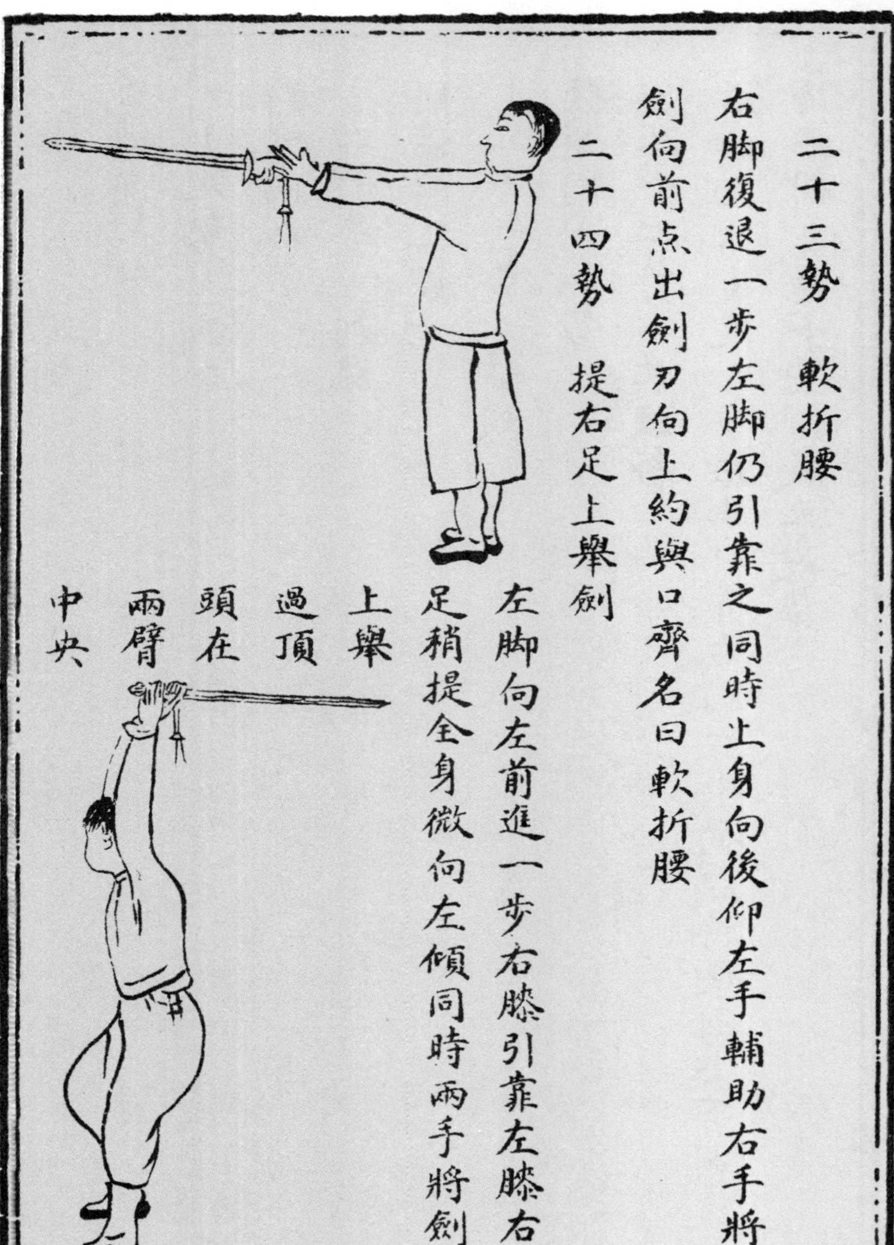

二十三勢　軟折腰

右脚復退一步左脚仍引靠之同時上身向後仰左手輔助右手將劍向前点出劍刃向上約與口齊名曰軟折腰

二十四勢　提右足上舉劍

左脚向左前進一步右膝引靠左膝右足稍提全身微向左傾同時兩手將劍上舉過頂頭在兩臂中央

二十五勢　跪左膝下截腿

隨後右脚前進一步左膝点地兩手握劍向右下砍之右手手心向下劍刃向右

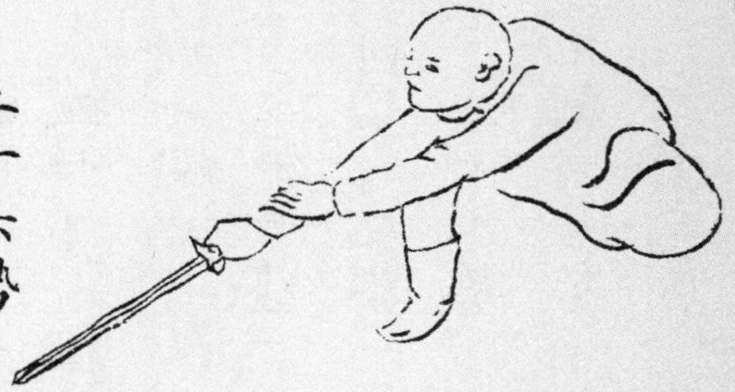

二十六勢　上舉腕

再將右手外翻手腕曲折高於膝齊劍下垂刃向前

上舉腕圖

二十七勢　仰身截腕

以左手着地向身後落身向後仰劍向前点腕

仰身截腕圖

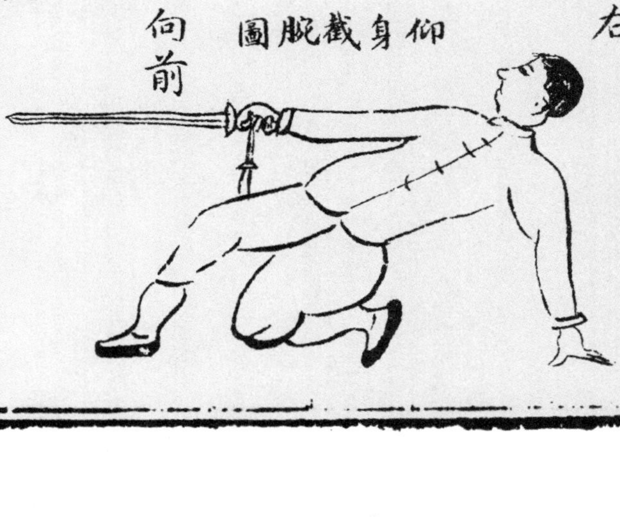

二十八勢　起身刺脇

刺脇同九勢

二十九勢　抱劍

抱劍同七勢

三十勢　撕劍

撕劍同八勢

三十一勢　刺脇

刺脇同九勢

三十二勢　抱劍

抱劍同七勢

三十三勢　單展翅

右脚反向後進一步右手握劍向前点左手上指名曰单展翅

三十四势

轉身截腕

將劍收回藏於腰際身體低下由左向後轉左脚不動右脚向右進步成弓步全身重点移於右腿上同時以劍向左前点之劍刃向下左手附於右腕

单展翅圖

轉身截腕圖

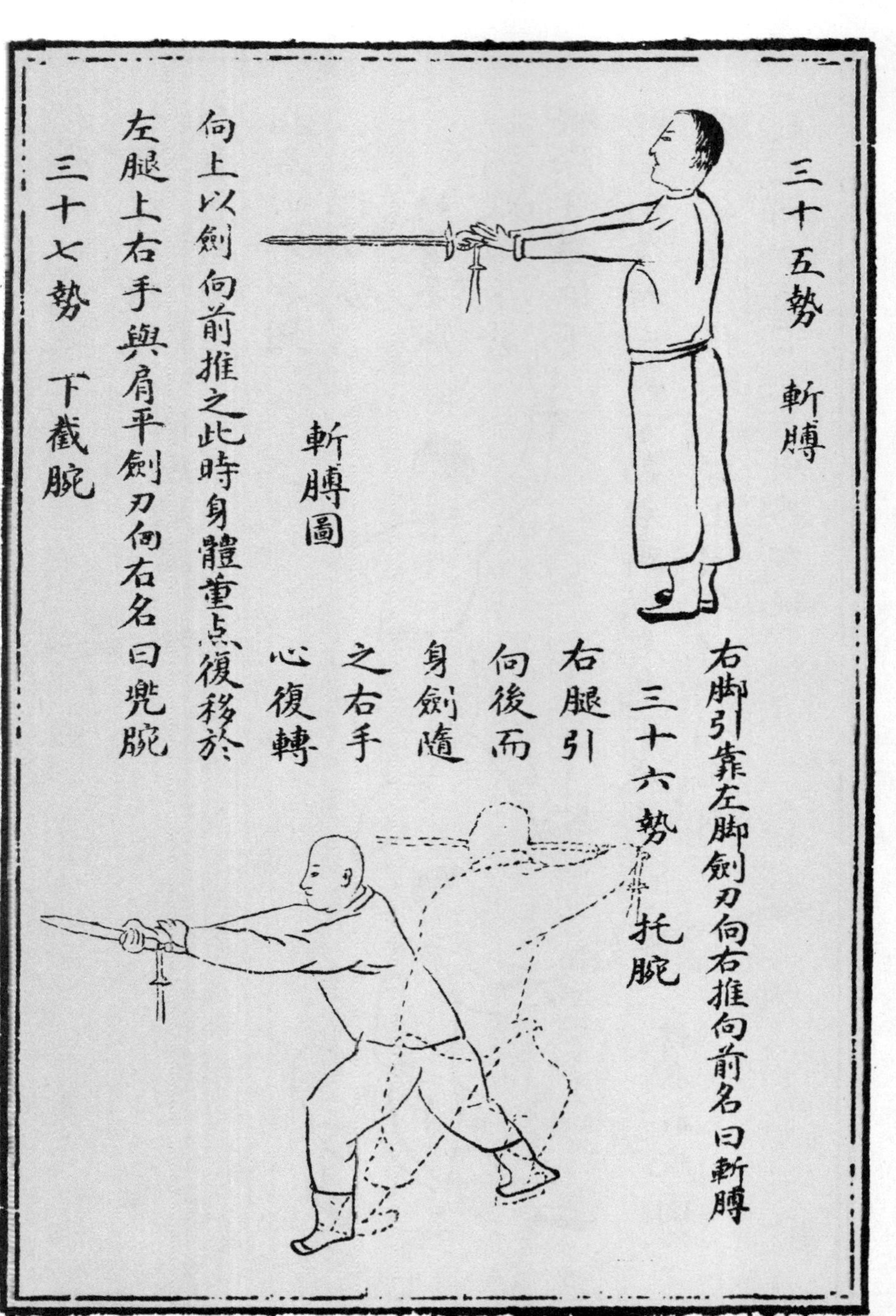

三十五勢　斬膊

右脚引靠左脚劍刃向右推向前名曰斬膊

三十六勢　托腕

右腿引向後而身劍隨之右手心復轉向上以劍向前推之此時身體重点復移於左腿上右手與肩平劍刃向右名曰兠腕

斬膊圖

三十七勢　下截腕

提起右足劍向右下截之姿勢同五勢

三十八勢　刺脇

刺脇同九勢

三十九勢　抱劍

抱劍同七勢

四十勢　撕劍

撕劍同八勢

四十一勢　外截腕

以劍從下轉上截敵人之手腕兩脚位置不動圖同十四勢

四十二勢　收勢

隨即後退數部仍成單鞭勢

注意　除単鞭勢外凡一動作兩眼須注視劍尖

此劍分上下手可以對擊下手動作與上手相同惟路線與次序稍異茲以圖標示路線以數字表示其動作之次序

第一節　路線

第二節　動作

一勢　外截腕同上十五勢

二勢　取耳同上十六勢

三勢　下截腿同上十七勢

四勢　抱劍同上十八勢

五勢　撕劍同上十九勢

六勢　刺脇同上二十勢

七勢　抱劍同上廿八勢

八勢　单展翅同上三十三勢

九勢　轉身截腕同上三十四勢

十勢　進步刺心同上二勢

十一勢　猛落腕成单鞭勢同上二十二勢

十二勢　上截腕同上五勢

十三势　下截腕同上六势

十四势　刺脇同上七势

十五势　抱劍同上八势

十六势　撕劍同上九势

十七势　刺肋同上十势

十八势　抱劍同上八势

十九势　单展翅同上三十三势

二十势　轉身截腕同上三十四势

二十一势　斬膊同上三十五势

二十二势　托腕同上三十六势

二十三势　下截腕同上三十七势

二十四勢　刺脇同上三十八勢

二十五勢　抱劍同上三十九勢

二十六勢　撕劍同上四十勢

二十七勢　刺脇同上十三勢

二十八勢　進步劈頭同上十四勢

二十九勢　単鞭勢同上二十二勢

三十勢　軟折腰同上二十三勢

三十一勢　提右足上舉劍同上二十四勢

三十二勢　跪左膝下截腿同上二十五勢

三十三勢　上舉腕同上二十六勢

三十四勢　仰身截腕同上二十七勢

三十五勢　刺脇同上二十八勢

三十六勢　抱劍同上二十九勢

三十七勢　撕劍同上三十勢

三十八勢　刺脇同上三十一勢

三十九勢　上吊腕將劍下垂腕上舉成九十度後收劍退數步作單鞭勢

上吊腕圖

三十六剑谱

三十六剑谱[①]

深州李存义口述

广宗杜之堂编录

注 释

①《三十六剑谱》：杜之堂编录李存义武学著作之一。单行本，刊行于中华武士会早期，后收入《武术研究社成绩录》等书。

目录

第一章　总论

第一节　名称

三十六剑[①]者，合而名之也。分之则为进步六剑、退步六剑、摇身六剑、转身六剑、勾挂六剑、风轮六剑。

第二节　练习

合三十六而练习，则长而费力，故分。仅练六剑又过短，故六剑皆往复练习之。不然，或进退并练，或摇转并练，或勾挂风轮并练，皆无不可。

第三节　起止

开势、收势，六剑尽同。即各剑起止所用者，假使连习三十六剑，一开一收即可；分习则每段起时用开势，止时用收势。

第四节　释词

谱中所谓阴手者，手腕外翻也；所谓阳手者，手腕内翻也。剑刃上下，则刺之易入。所谓绌者，腿屈成方也；所谓支者，腿伸也，即割线所云之九十度。所谓剪腕者，低则在腕，高则在头也；所谓刺剑者，低则刺脐，高则刺喉，中则刺心也。

第五节　方位

舞剑之时，或南北，或东西，均可不拘。作谱须有定方，乃易指示，今假定为南北路线，开势在北端，东为左，西为右，北为后，南为前。牢志之，乃可读此谱。

注 释

① 三十六剑：1925 年，黄柏年出版《剑术》，对三十六剑详加诠释。本文参阅此说。三十六剑，也称六合剑。

第二章　分论

第一节　进步六剑

进步者，以前进为主，然其中亦有退步，就其多者言之也。路线如左[①]（图1）。

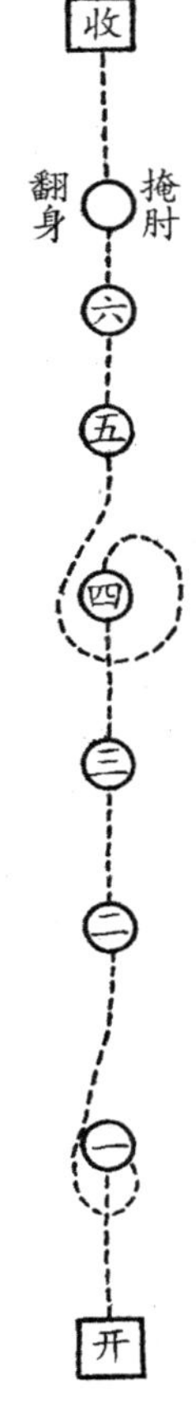

图1　进步六剑路线

一势、裹砍[②]

由开势左腿落，剑自面前左裹，右腿进、绌，左腿支，剑平砍，左手护额。（图 2）

图 2　裹砍图

二势、撩腕[③]

剑回挂，右腿退，剑由头上过左，右腿进，转身，左腿倒插，阴手撩剑，左手后伸，作勾，与剑成水平，势极低。（图 3）

图 3　撩腕图

三势、转身裹砍[④]

由上势转身，面向前，剑随身转裹，右腿进、绌，左腿支，剑拦腰平砍，左手护额。（图 4）

图 4　转身裹砍图

注释

① 路线如左：原书图在文字左边，故称“如左”。后同。

② 裹砍：持剑静立，假想敌人向我左侧方突刺，我剑柄向上，腕外翻，由右向左裹出，即斩敌之腰部。右腿弓，左腿支，左手护额，顶身前探。

③ 撩腕：剑由右侧挂，右腿稍退，仍进剑，由头顶经过，作车轮形以撩腕，左手、右剑成水平线。同时，左腿用倒行步。宜低蹲身、曲膝。目视剑。

④ 转身裹砍：由前势，假想敌人欲退走，我急向左转身，稍进左足，大进右足。同时，将剑抡圆作磨盘形，斩敌腰部。右腿弓，左腿支，左手护顶。

四势、抱剑环走[①]

进左腿，盘右腿，剑柄置左胁，斜立护颈，左手置身后，作勾，右腿落进，绕行，步数无定。（图5）

图5　抱剑环走图

五势、阴手剪腕[②]

前势走至正面，剑在面前偏右作小圈，阴手剪腕，左腿进，左手置腕下。（图6）

图6　阴手剪腕图

六势、阳手剪腕[3]

提左腿，剑随裹，左腿落，右腿进、绌，左腿支，剑平砍，锋稍低，左手护额。(图 7)

图 7　阳手剪腕图

附掩肘翻身剑[4]

剑立面前，左腿进，左肘立置剑后。转身，剑随身下落，右挂。退右腿，颠进左腿、绌，右腿支，剑阴手刺裆，左手置腕下。此势在六剑收势前随时加入。(图 8)

图8　掩肘翻身剑图

注释

① 抱剑环走：由前势进左腿，提右腿，剑柄置胁，剑锋由右肩立出护右，看敌，左手在后作勾，顺右向后转走，步数无定。

② 阴手剪腕：由前势转至正面，剑由右上方摇作小圆圈形，即阴手刺出。左腿弓，右腿支，左手附右肘下，上身向前倾。

③ 阳手剪腕：由前势换阳手，剑斩敌颈部，左手护顶，进右腿，身前探，左腿支，右腿弓。

④ 掩肘翻身剑：剑立面前，上左足，剑指置于右腕部。右转身，剑随身转，右足撤步，剑下落向右后挂。左腿向前一大步，右腿跟进，成弓步，剑由上向下前方阴手刺出。此势为过渡势。

第二节　退步六剑

退步者，亦前进而舞，然倒插步多，故名曰退步。路线如左（图9）。

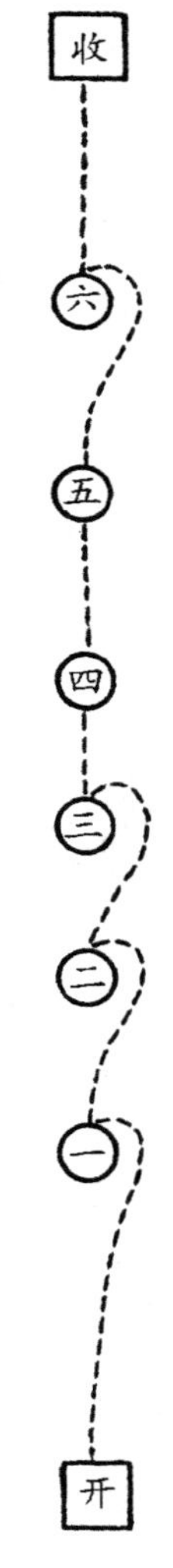

图9　退步六剑路线

一势、劈头剑[①]

由开势左腿落，右腿进，身右转，剑随身转，立劈头部，左手置顶，眼视剑。（图 10）

图 10　劈头剑图

二势、钻剑剪腕[②]

左腿进，剑由头上绕至左边，转身，右腿进、支，左腿绌，阴手剪腕，左手置腕下。（图 11）

图 11　钻剑剪腕图

三势、退步撩腕[3]

右[4]腿退、支，左[5]腿绌，剑靠身右，上起下撩，作一大圈，左手护额。（图 12）

图 12 退步撩腕图

注 释

① 劈头剑：先用剑向左前方勾挂，随转身劈出，剑作车轮形。此时，右腿在前，左腿在后，剑成劈势，左手扬起。

② 钻剑剪腕：由前势身向左转，扣右足，面仍转向后。同时剑由头上过，横截敌械。左腿弓，右腿支，左手附右肘下，剑锋立。

③ 退步撩腕：由前势大撤左足，剑由上而下转成阳手撩腕势。左手护额，右腿弓，左腿支，剑锋立，上身前探。

④ 右：当为“左”。

⑤ 左：当为“右”。

四势、退步砍腕[①]

右腿左手撤，剑亦撤至身后而前砍，左腿绌，右腿支，左手身后作勾。（图 13）

图 13　退步砍腕图

五势、横剑截腕[②]

左腿退，剑由身前作小圈，阳手横截，右腿自左旁倒插，左手绕置顶上。（图 14）

图 14　横剑截腕图

六势、转身劈剑[③]

左手落至柄前，而后捋身转，右腿进，剑随身转，左手上起过头，身转，左腿进，剑在身后，左手在脐下，剑立劈，左腿提至膝，左手上翻护额。（图 15）

图 15　转身劈剑图

注 释

① 退步砍腕：大撤右足，左手随撤，剑从右侧后挂反臂前劈，成弧形。势成左弓步，左手在身后作勾。

② 横剑截腕：左腿撤，右腿自左腿旁倒插，剑在面前由左至右画一圈，反腕阳手截腕。剑指上翻护额。

③ 转身劈剑：由前势假想敌人向我背后击刺，我急移右足，闪身猛向后转。同时提左腿，剑由左肋下上翻劈出。左手护额。

第三节　摇身六剑

摇身者，身左右摇也。三摇相同，左右中地位不同，而剑法亦稍有变换。左摇前加一裹剑，中摇前加一筋头剑，不如此则势不顺。虽似八剑，仍称六剑可也。路线如左（图16）。

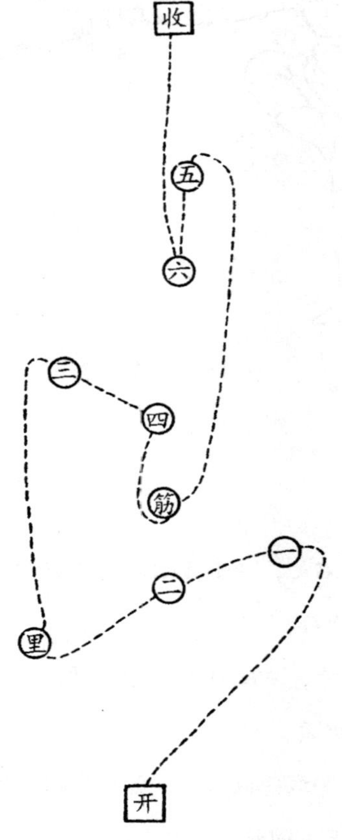

图16　摇身六剑图

一势、右摇身[①]

由开势左腿落、进，右腿进，左腿倒进，面向东北，剑于左腿倒进时，在面前摇一小圈平砍，右腿绌，左腿支，左手护额。（图 17）

图 17　右摇身图

二势、阴手剪腕

左腿进、绌，右腿支，剑换阴手，绕左、右剪，左手置腕下。（图 18）

图 18　阴手剪腕图

附裹剑[②]

左腿进，右腿随进，腿并，右脚提，蹲身作小势，剑裹，柄置左膝[③]前，左手置身后，作勾。（图 19）

图 19　裹剑图

三势、左摇身[④]

右腿进，左腿进，右腿倒进，面向西北，剑于右腿倒进时，换阴手，绕左、右剪，左腿绌，右腿支，左手置腕下。（图 20）

图 20　左摇身图

注 释

① 右摇身：左腿落步，右腿进步。左腿倒进时转身面向东北，剑回裹至右下方，剑臂外旋，由下至上、过头弧形平砍。剑指护额。

② 裹剑：即“并步勾手抱剑”。左腿进步，右腿随之，足尖内扣，两膝并拢。右足提起，蹲身作小势，剑由前面绕一圈，剑柄落于左膝，抱剑于腹前。左手作勾。

③ 膝：原文误作“滕”，据保定本当为“膝”。

④ 左摇身：右腿进步，左腿随之，右腿倒进，转身向右，剑向右后挂，剑在头前上方环绕后向右横斩。

四势、阳手剪腕

提左腿，剑随裹，左腿落，右腿进、绌，左腿支，剑平砍，锋稍低，左手护额。（图 21）

图 21　阳手剪腕图

附筋斗剑[①]

左腿进，剑立面前，左肘立置剑后，转身。右腿退，左腿退与右腿并，左脚提，面正南，蹲身作小势，剑随身转而后挂，又由后前劈，随左手落至膝。（图 22）

图 22　筋斗剑图

五势、中摇身[②]

左腿进，右腿进，左腿倒进，面正北。剑于左腿倒进时，在面前摇一小圈，平砍。右腿绌，左腿支，左手护额。（图 23）

图 23　中摇身图

六势、阴手剪腕

左腿进、绌，右腿支，剑换阴手，绕左、右剪，左手置腕下。（图24）

图24　阴手剪腕图

注 释

① 筋斗剑：左腿进半步，剑立于面前，剑柄在腹前，剑指置于右腕上，左转身180°。右腿退步，左腿随之，剑右后挂前劈，成双手握剑式。紧接上动，重心下降，两腿曲膝全蹲，剑撤至腿部。

按：筋斗剑为李存义所编创的“飞跃剑”的精华，此剑用途分为二，一用走势；一用跃势。皆防敌人暗谋者。假想敌人由背后突然击刺，若敌相距较近，急用走势，剑由右耳下沿右肩向后平刺敌面，暗移左足向右转身，以刺敌人；倘敌相距甚远，或以长杆枪或用手枪击我背后，必用跃势将气功运足，以丹田之精、五行之灵，纵身向空跃起，而头向下、足向上，超越敌背后，以斩敌颈部。然此势非由童子时练之不可，如自幼时常常练习，动作便捷亦能收其美满之效果。（黄柏年《剑术》）

② 中摇身：左腿进步，剑立于面前。右腿随之，足尖内扣。左腿倒进时左转身，剑在面前画一车轮形，平砍。剑指护额。

第四节　转身六剑

转身者，身由剑下而转也。剑不动而身动，则剑自速矣。剑术之奥妙在此。路线如左（图25）。

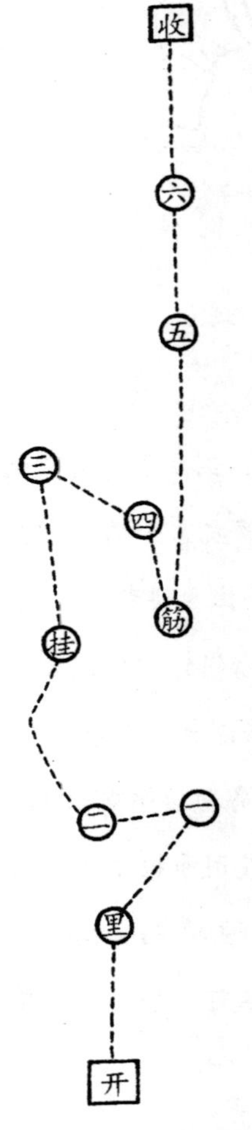

图25　转身六剑路线

附裹砍

由开势左腿落，剑自面前左裹，右腿进、绌，左腿支，剑平砍，左手护额。（图 26）

图 26　裹砍图

一势、右转身[①]

右腿进，左手由肩窝捋肘，剑横顶上，左腿进步，身强转，面向西北，剑力推，左手置顶上。（图 27）

图 27　右转身图

二势、阴手剪腕

左腿进、绌，右腿支，剑换阴手，绕左、右剪，左手置腕下。（图 28）

图 28　阴手剪腕图

附挂剪[②]

右腿斜进，剑随势外挂。左腿进，剑阴手剪腕。左手置腕下。（图 29）

图 29　挂剪图

三势、左转身[③]

左腿进，左手由剑上捋肘，剑由左肘下暗渡，横于顶上。右腿进，身强转，面向西北。剑力搨。左手置腕下。（图 30）

图 30　左转身图

注 释

① 右转身：右腿进步，剑指由右臂下捋至肘下，剑横于头顶，剑柄置右肩上方。左腿随进，身体向右转，面向西北。同时，剑臂内旋，剑右绕后向右腿后方力推。剑指护额。

② 挂剪：右腿向前斜进，足尖外撇，剑向右后侧挂，撩至左上方，再向左后挂。同时，左腿进步，剑前撩劈砍。

③ 左转身：左腿进步，剑指顺剑锋捋至右肘下，剑横于头顶，剑柄置右剑上方。右腿随进，身体转向西北，剑向前力推。

四势、阳手剪腕

提左腿，剑随裹，左腿落，右腿进、绌，左腿支，剑平砍，锋稍

伛，左手护额。（图 31）

图 31　阳手剪腕图

附筋斗剑

右腿进，剑立面前，左肘立置剑后转身，右腿退，左腿退与右腿并，左脚提，面正南。蹲身作小势，剑随身转而后挂，又由后前劈，随左手落至膝。（图 32）

图 32　筋斗剑图

五势、中转身

左腿进，左手由剑上捋肘，剑由左肘下暗渡，横于顶上。右腿进，身强转，面向正北。剑力搨。左手置腕下。（图 33）

图 33　中转身图

六势、阳手剪腕

提左腿，剑随裹，左腿落。右腿进、绌，左腿支，剑平砍，锋稍低。左手护额。（进步退步均可，视地势广狭为之可也）（图 34）

图 34　阳手剪腕图

第五节　勾挂六剑

勾挂者，剑之行动率用之。以此取名者，因类似者多也。细数之有八势，附加裹剑、云剑之故耳。路线如左（图35）。

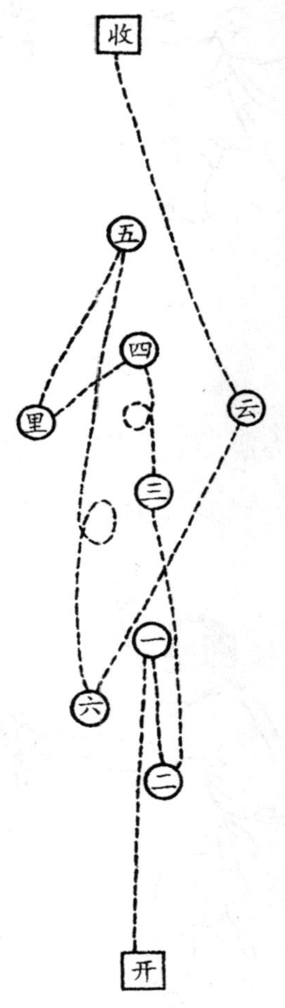

图35　勾挂六剑图

一势、进步撩剑[①]

由开势左腿落、进，进右腿、绌，左腿支。剑于左腿落时，由后上撩，又随右腿上撩，如风轮之轮转，身平而止。左手护额。（图 36）

图 36　进步撩剑图

二势、退步劈剑[②]

右腿退、支，左腿绌，剑下挂而前劈，左手置腕下。（图 37）

图 37　退步劈剑图

三势、倒步撩腕[③]

右腿进，剑撩。左腿倒插，剑自左肩撩腕。身蹲，左手置身后，伸掌与剑成平线，锋稍高，面向剑。（图 38）

图 38　倒手[④]撩腕图

注 释

① 进步撩剑：由开势先小进左腿，再大进右腿、弓膝。剑由左腿落进时，自后撩出。同时随腿上撩，如风轮之轮转，身平而止。剑锋立，左手护额。

② 退步劈剑：由上势向后退右腿，弓左腿，同时抡剑下挂而前劈。身前倾，剑锋立，左手附于右肘之下。

③ 倒步撩腕：先进右腿，再倒进左腿，姿势宜低。剑在面前绕过，以撩敌腕。剑锋、两臂平，右腿弓，左腿曲。

④ 手：原文误作“手”，根据文义当为“步”。

四势、裹剑转劈[①]

身起，随转，右腿转进，面南。剑随身转至左肩，顺势下劈。右腿绌，左腿支，左手护额。（图 39）

图 39　裹剑转劈图

附裹剑

左腿进，右腿随进，腿并，右脚提，蹲身作小势，剑裹，柄置左膝前，左手置身后，作勾。（图 40）

图 40　裹剑图

五势、刺膝剑[②]

右腿进，摇剑，左腿进、绌，右腿支，剑阴手刺膝，左手置腕下。（图 41）

图 41　刺膝剑图

六势、转身回刺[③]

退左腿，进右腿，转身，剑随身阳手后刺。面西，左脚提至膝，左手置胸前，偏右。（图 42）

图 42　转身回刺图

附云剑[④]

左腿落进，右腿进、绌，左腿支，面西南，剑在顶上摇圈，拦腰平砍，左手护额。（所以加入云剑者，转身回刺，已达北端，非加此，不能收至南端，与他六剑同也。）（图 43）

图 43　云剑图

注 释

① 裹剑转劈：由前势向左转身，进腿。同时，剑抡圆斜劈敌人头耳部。弓右腿，支左腿，左手护额，剑锋立。

② 刺膝剑：右腿进，剑由左下向右摇。左腿进步，弓步，剑由上向下刺膝。剑指置腕下。

③ 转身回刺：左腿撤步，左转身，横进右足，剑锋由左向右翻。左足提至膝部护裆，面向起势方向回刺。

④ 云剑：由阴手变阳手平斩，同时大进右腿，弓膝，身前倾，左腿支，剑锋平。左手护额。

第六节　风轮六剑

风轮者，视剑法之状态以立名也。此剑宜稍速，如轮之转。路线如左。（图 44）

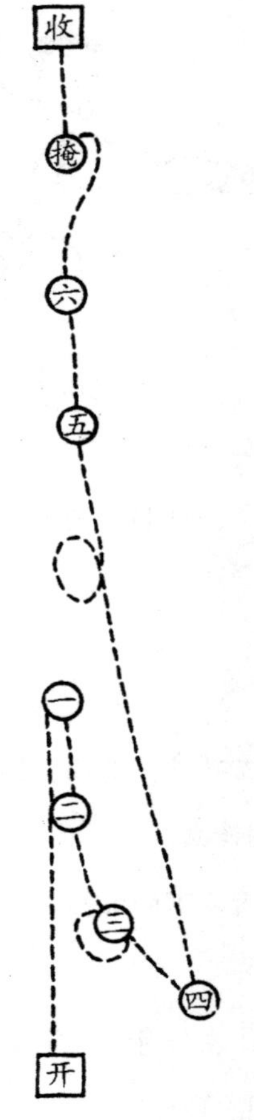

图 44　风轮六剑路线

一势、进步撩剑

由开势左腿落进，进右腿、绌，左腿支，剑于左腿落时，由后上撩，又随右腿上撩，如风轮之转，身平而止，左手护额。（图 45）

图 45　进步撩剑图

二势、退步劈剑

右腿退、支，左腿绌，剑下挂而前劈，左手置腕下。（图 46）

图 46　退步劈剑图

三势、背后撩剑[①]

剑随劈剑下拉，左手置右肩窝，转身，面西，进左腿，剑顺势上撩，左手置胸前，外指。（图 47）

图 47　背后撩剑图

图 48　藏身剑图

四势、藏身剑[②]

再转身，面北，剑亦随身转至头上，退右腿，面西南，剑挂，提左脚至膝，剑柄上提，剑身斜横胸前，左手置胸，偏右，目前视。（图 48）

注 释

① 背后撩剑：剑向右下后挂，右转身，面西。左足进，成左弓步，剑顺势上撩过头前刺。

② 藏身剑：右转身，面北，剑随身转置头上。右腿撤步，右转，面西南，剑向右上、向后、向下挂。提左足至膝，剑柄提至右肩上方、过头，剑身斜横胸前。

五势、拗步盘根剑[①]

左腿落，剑前挂，右腿进，左腿倒插，蹲身，剑随势前劈，眼回视剑，左手置顶上。（图 49）

图 49　拗步盘根剑图

六势、纵身劈剑[②]

猛转身，身纵，右腿落前、绌，左腿支，剑随身轮劈，左手置顶上。（图 50）

图 50　纵身劈剑图

附掩肘转身剑[③]

剑立面前，左腿进，左肘立置剑后。转身，剑随身下落，右挂。退右腿，颠进左腿、绌，右腿支，剑阴手刺裆。左手置腕下。（图 51）

图 51　掩肘翻[④]身剑图

注 释

① 拗步盘根剑：由前势变换，先进右腿，再倒进左腿，同时抡剑成车轮形以撩敌腕，势为盘根剑。左手护额。

② 纵身劈剑：由前势猛转身，向前纵身，剑随身纵时抡起，身落剑亦劈下。身纵者，乃是追击敌人，向前跳跃一步，顺势劈下。右腿前弓，左腿后支。

③ 掩肘转身剑：同“掩肘翻身剑”。

④ 翻：原文误作“翻”，根据文义当为“转”。

第三章　结论

此三十六剑为诸剑之母，手、眼、步、法，均须熟化，故练习贵缓不贵速，势贵低不贵高。贵时时熟复以固根基，勿以古拙而轻视之。不惟剑也，刀、枪、棍皆可用此法练习，不过手势稍有变化耳。

三十六剑终

附录

五行剑

连环剑

梅花剑

三才剑

三合剑

附录一　五行剑[1]

五行剑，用五行拳之势法而舞剑也。其步法身法大同而小异，节中详言之[2]。其名称仍用劈、钻、崩、炮、横五字。

剑本右手执柄，而左手或护额或捋肘或附柄或在胸或在背后作勾，独五行单力[3]、五行宝剑均用双手，与执朴刀[4]同，盖手双则力倍也。剑柄短不能容双手，则左手只在柄头用力耳。

五行剑皆单练法，每势皆分左右，仅写起落两图者，见左则知右，见右则知左也。练习无定数，视也[5]势之长短耳，学者当由此入手。

注释

① 本书附录五行剑、连环剑、梅花剑、三才剑、三合剑，均为《武术研究社成绩录》节选章节。

② 节中详言之：山西本为“于各节中详言之”。(1919 年，张桐轩于山西国民师范学校任教，并印行《形意拳古谱》《拳术讲义》，简称山西本。)

③ 力：原文误作“力”，据山西本当为“刀”。

④ 朴刀：大刀的一种，也称“双手带”。朴，音 pō。

⑤ 也：原文误作“也”，据山西本当为“地”。

第一节 劈剑

劈剑左勾则右腿落前，右挂则左腿落前。剑落时用全身之力，势甚猛厉，最难防御。

一、路线（附图 1－1）

附图 1－1 劈剑路线

二、起势[①]

剑左勾左腿进，剑由后起至顶上，右脚依右腿提起，眼平视，作欲落状。（附图1－2）

附图1－2　起势图

三、落势[②]

剑与右腿齐落，剑立劈，左腿微跟。（附图1－3）

附图1－3　落势图

四、回身[③]

右腿在前则左转身，左腿在前则右转身，身转则前脚在后、后在前，仍然前脚进，剑或左勾或右挂，后脚提为起势，提脚前落，剑立劈，后脚跟为落势。右脚在前之路线，如下图（附图1－4）。

附图1－4　回身路线

注释

① 起势：预备势，两足并立，右手持剑，剑尖向前，与地面平行。左手成阴掌，指尖向前（以下四剑预备势与此相同）。起势，右手持剑抬至小腹前，左手于右手下握住剑柄，剑由身左勾剑，经下、后、上画弧，至头顶上方，剑左勾。同时左腿前进一步，右足紧跟提靠于左踝关节。目平视前方。

② 落势：右腿进一步，同时双手持剑自头上向前下方劈出，左腿跟进小半步，重心放在前腿。

③ 回身：右腿在前则左转身（左腿在前则右转身），转身后则前足变成后足，后足变成前足。以右足在前为例：右足回扣，左足转向后方，变为前足，左足垫步，右足紧跟提靠左踝关节。同时剑尖向上、再向身左勾剑，举至头顶上方。右足前进一步，同时剑向下劈出，与落势同。按：左足在前时动作相同，惟左右相反。

第二节 钻剑

钻剑亦分左右两势，左起则右腿落前，起势阳手，落势阴手；右起则右[①]腿落前，起势阴手，落势阳手。剑出如游龙，路线稍曲。

一、路线（附图 1 –5）

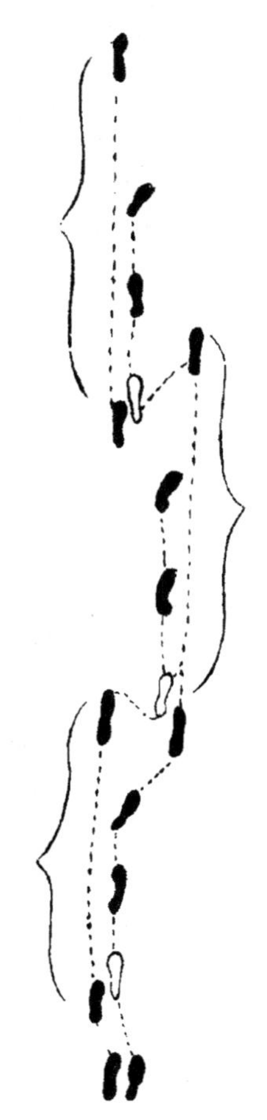

附图 1 –5 钻剑路线

二、起势[②]

左腿斜进，右腿随而过之，身蹲剑阳，手撤至左胯，眼前视，作欲出状。（附图 1－6）

附图 1－6　起势图

三、落势[③]

右腿进剑外挂，左腿进剑由上绕回，成一小圈，阴手剪腕，左腿纰，右腿交[④]。（附图 1－7）

附图 1－7　落势图

四、回身⑤

左腿在前则右转身，左为起势，剑阴手。右腿在前则左转身，右为起势，剑阳手。落势同上。左腿在前之路线，如下图（附图1－8）。

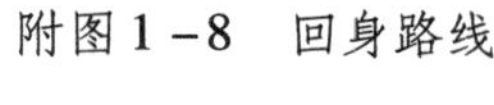

附图1－8　回身路线

注释

① 右：原文误作“右”，根据文义当为“左”。

② 起势：接预备势，左腿垫步，右手持剑抬至小腹前，左手于右手下握住剑柄。右腿向左前方进一步，右足落于左足左前方，身体下蹲，两手撤至左胯旁，剑刃向外，目视前方。

③ 落势：右腿垫步，剑经身体右侧挂剑。左腿进一步，剑经下、后、上画弧向敌腕砍出，掌心向下。砍出的同时右腿前进一步，重心落于右腿，左腿微曲。

④ 交：原文误作“交”，据裴锡荣藏《李存义剑谱》（简称裴本）当为“支”。

⑤ 回身：左腿在前则右转身，左为起势。回扣左足，向右转回身，右足尖斜向右，左腿向右前方进一步，左足落于右足右前方，身体下蹲，手成阴手握剑撤至右胯旁。左足垫步，剑向身体左侧勾剑。右腿进一步，剑经后下、后、上画弧向前方敌腕砍出，砍出的同时左腿进一步，重心落于左腿，右腿微曲。右为起势，阳手握剑，落势同上。

第三节　崩剑

崩剑皆剪腕，剑亦分左右两势，在左旁者右脚跟，在右旁者左脚跟。此其区别也。无起势，分左右势。

一、路线（附图 1－9）

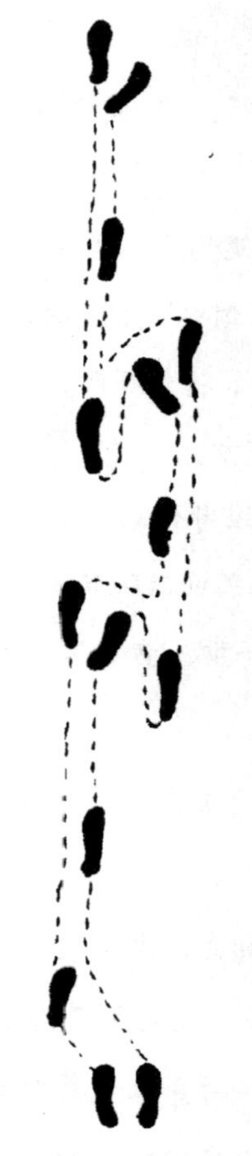

附图 1－9　崩剑路线

二、左崩剑[①]

左腿斜进若接右崩则左腿撤，右腿随至左腿而前进，左腿直进右腿跟，剑于左腿斜进时撤至左胯，于左腿再进时剪腕，锋又[②]斜。（附图1－10）

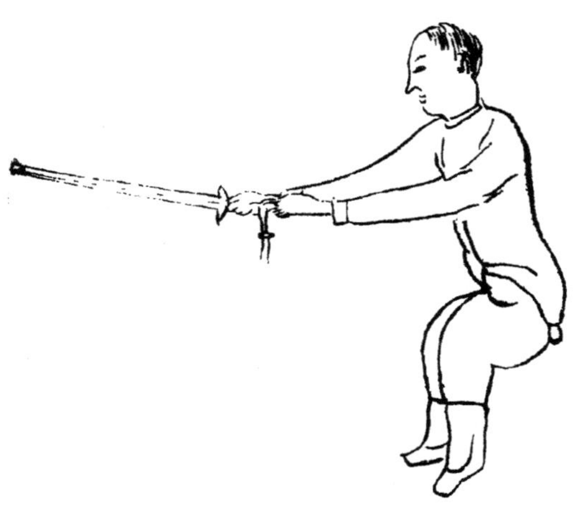

附图1－10　左崩剑图

附图1－11　右崩剑图

三、右崩剑[③]

右腿撤，左腿随撤至右腿而前进。右腿直进，左腿跟。剑于左腿撤时亦撤至右胯，于右腿直进时剪腕，锋左斜。（附图1－11）

四、回身

崩剑回身有二：一与崩拳回身相同；一左腿在前则用左崩剑，右腿在前则用右崩剑。今举左腿在前之路线，如左（附图 1－12）。

附图 1－12　回身路线

注 释

① 左崩剑：接预备势，左腿向左前方进一步，右腿随进至左腿前，两手持剑收回左胯。左腿直向前进一步，右腿紧跟至左腿后。同时，双手持剑向前剪腕，剑刃微向右斜。

② 又：原文误作“又”，据裴本当为“右”。

③ 右崩剑：右腿向后撤一步，左腿跟随撤至右腿前，同时两手持剑撤至右胯。右腿向前直进一步，左腿紧跟，两手持剑向前剪腕，剑刃微向左斜。

第四节　炮剑

炮剑左为托腕剑[1]，右为剪腕剑[2]，比崩剑稍高，左则左勾，右则右挂，左右皆柄高锋低，用全身力。

一、路线（附图 1－13）

附图 1－13　炮剑路线

二、左炮剑[3]

左腿斜进、绌此自开势言之，若接右炮剑为之，则右腿先进，左腿继进，右腿跟，剑自胸前左勾而上托，右腿稍跟、支，左手护额。（附图 1－14）

附图 1－14　左炮剑图

三、右炮剑[4]

左腿进，剑由胸前右挂而上托，右腿进、绌，左腿跟、支，左手置肘下。（附图 1－15）

附图 1－15　右炮剑图

四、回身

回身同炮拳，左腿在前则右转身，右腿在前则左转身；右转身则作左炮剑，左转身则用右炮剑。今举左腿在前之路线，图如下（附图 1－16）。

附图 1－16　回身路线

注 释

① 托腕剑：剑由下向上砍敌手腕。

② 剪腕剑：剑由上向下砍敌手腕。

③ 左炮剑：接预备势，左腿向左前方进一步，右手持剑在胸前左勾，画一立圆，向左上方托剑。手心向上，右腿稍跟伸直。同时，左手升至头左上方，掌心朝上。

按：若开势直接右炮剑，则右腿先向右前进一步，左腿继续进一步。同时剑在胸右前方画一立圆，向右上方托剑，左手置于右肘下，左腿稍跟，成弓步。

④ 右炮剑：左腿垫步，剑在胸前右挂画立圆，向右前方托剑。同时右腿向右前方进一步，成弓步，重心在右腿。

第五节　横剑

横剑与炮剑剑路相同，独步法异耳。此剑势大而束，如入无人之境，最易制胜。

一、路线（附图 1－17）

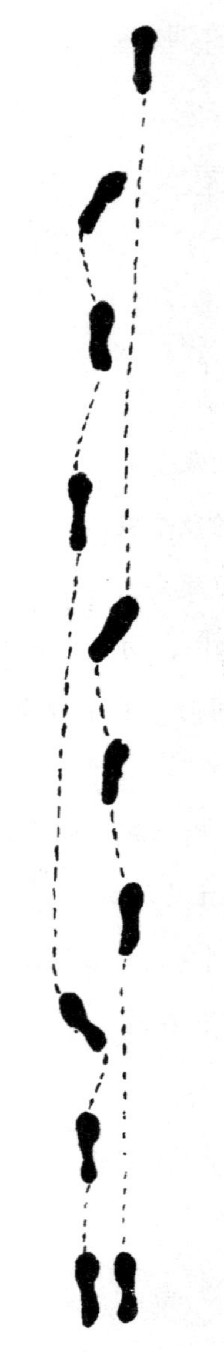

附图 1－17　横剑路线

二、左横剑[①]

左腿进剑左裹，右腿进、绌，剑由顶绕圈剪腕，左腿跟、支，剑柄高锋低，左手护额（附图 1－18）。

附图 1－18　左横剑图

三、右横剑[②]

右腿进，剑右挂，左腿进、绌，剑由顶绕圈剪腕，右腿跟、支，剑柄高锋低，左手置肘下。（附图 1－19）

附图 1－19　右横剑图

四、回身

右腿在前则左转身，左腿在前则右转身。如右腿在前则左脚转为一，右腿进为二，左腿进为三。如下图（附图 1－20）。

附图 1－20　回身路线

注 释

① 左横剑：接预备势，左腿进一步，右手持剑左裹，剑在头顶画圆，向左横砍敌腕。同时右腿进一步，左腿稍跟，重心在右腿。左手护顶。

② 右横剑：右腿横进一步，剑右挂，在头顶画圆向右横砍敌腕，同时进左腿，右腿稍跟，重心在左腿。左手置于右肘下。

附录二　连环剑

刀枪棍剑，皆以拳为母，错综五拳之势，而连续之，合为一套。进步退步，如环之无端，又进又退，如环之相连，谓之连环拳。用其套而抡刀，谓之连环刀。盘枪，谓之连环枪。打棍，谓之连环棍。故曰：连环剑之名，本于连环拳也。

此剑十势，各自不同，往复练之，乃归原势。以其进而复退，退而又进也。范围较小，练习于狭隘之地，甚为适宜。

第一节　路线

开势收势，仍用常法，与他剑同。其路线如左（附图 2－1）。

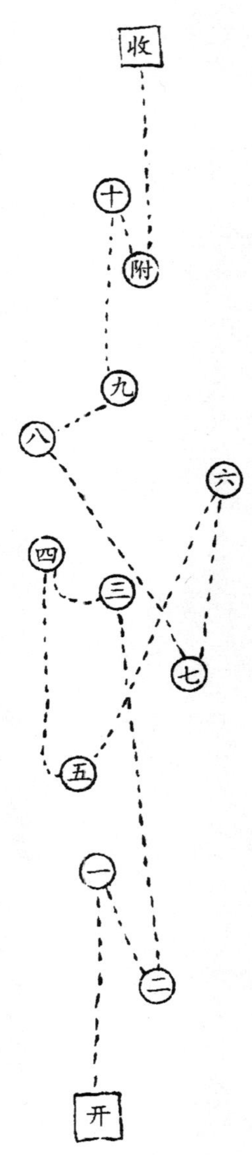

附图 2－1　连环剑路线

第二节　动作

一势、进步崩剑[①]

由开势左腿落进，右腿随进，抵左趾，脚稍横，剑随右腿直进，摇刺心，左手拊[②]柄，两腿稍曲。（附图2－2）

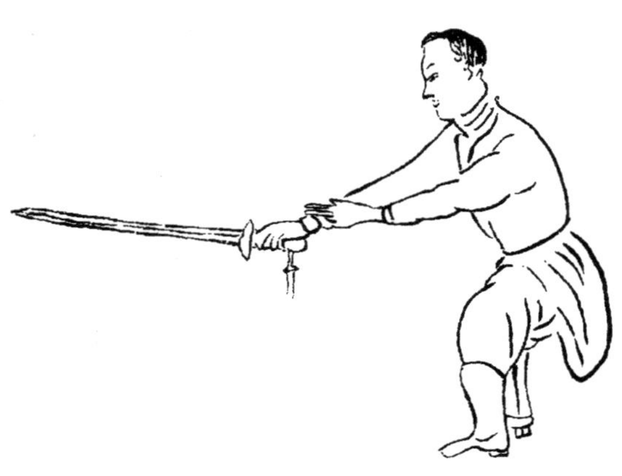

附图2－2　进步[③]剑图

二势、退步剪形剑[④]

右腿退，剑后挂，左腿退，剑由肩头阴手剪腕，左手置腕下。（附图2－3）

附图2－3　退步剪形剑图

三势、进步裹砍[⑤]

左腿进，剑左裹，左手在肩窝，右腿进，剑横砍，右腿绌，左腿支，左手护额。（附图2－4）

附图 2 -4　进步裹砍图

四势、进步刺剑[⑥]

身撤右腿撤，提剑随之，左手拊柄，右腿落进，剑随身阳手前刺，即提左脚至膝，右腿独立而稍曲，左手仍拊柄。（附图 2 -5）

附图 2 -5　进步刺剑图

五势、转身劈剑[⑦]

左手落至柄前，而后捋身转，右腿进，剑随身转，左手上起过头，身转，左腿进，剑在身后，左手在脐下，剑立劈，左腿提至膝，左手上翻护额。（附图 2 –6）

附图 2 –6　退步转身劈剑图

注 释

① 进步崩剑：先进左足，进半步，右足疾跟，靠于左足后踵，两脚成人字形，两腿微曲。同时，剑由右向下方摇动，画圆形，向前崩出，力达剑尖，刺心部。

② 拊：音 fǔ，握。

③ 原文此处脱一“崩”字，应作“进步崩剑图”。

④ 退步剪形剑：由前势向下拉转，剑尖以逆时针画圈。同时右腿退一大步，左腿在右腿后做倒行步，两腿成剪形，刺敌腕部。

⑤ 进步裹砍：先进左足，大进右足，成右弓步。同时，剑尖向下，柄向上，用力外裹，斩敌腰。

⑥ 进步刺剑：由前势撤右足，剑随之急撤，落进右足，剑亦随之。同时，提起左足于膝上，左手置于胸前，身直立，目视前方。

⑦ 转身劈剑：左手附剑柄，落左足，向左后转。同时，拉剑由上向下作车轮形，由顶向下立劈。仍提左足，左手护额。

六势、进步炮剑[①]

左腿落进，剑自左肩撩进，右腿进，面西南阳手剪腕，右腿绌，左腿支，左手置腕下。（附图 2 –7）

附图2 –7　进步炮剑图

七势、退步钩挂藏身剑[②]

右腿退，剑左钩右挂，左腿退，提至膝，剑倒提，斜横面前，左

手置胸前偏右。（附图 2 –8）

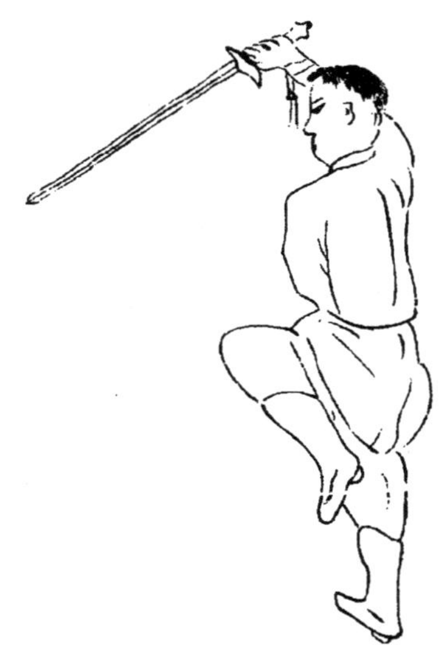

附图2 –8　退步钩挂藏身剑图

八势、进步托剑③

左腿落，斜进，面东南，剑抡转，阳手左推，左腿绌，右腿支，左手置顶上。（附图 2 –9）

附图2 –9　进步托剑图

九势、进步阴手剪腕[④]

左腿横进至中线，剑挂，右腿进，脚横踏，剑阴手剪腕，两腿微曲，左手置腕下。(附图 2－10)

附图2－10　进步阴手剪腕图

十势、进步崩剑[⑤]

左腿进，右腿随进，抵左趾，脚稍横，剑随右腿直进，摇刺心，左手拊柄，两腿稍曲。(附图 2－11)

附图2－11　进步崩剑图

附转身剪腕剑[⑥]

右转身剑随挂，右腿进，脚横踏，剑阴手剪腕，两腿微曲，左手置腕下。（附图2－12）

附图2－12　转身剪腕剑图

注　释

① 进步炮剑：落左腿，进右腿。同时，剑由上而下抡转圆形，向右前方撩挑，左手附于右肘下。右腿弓，左腿伸直，上体前倾。

② 退步钩挂藏身剑：先进左腿，剑向左下方勾；再退右腿，剑同时向右方挂，即提左足至膝，而倒提剑，斜横面前，左手附于右胁间。钩，同“勾”。

③ 进步托剑：先落左足，再催左足进半步。同时，剑反转，阳手向前刺，左手护额。左腿坡直，右腿跟步、弓膝。

④ 进步阴手剪腕：接前势，剑向右下方挂，至后而上，用阴手剪腕。同时，稍进左足，恒进右足，两膝相接，腿成剪子股式，左手置腕下。

⑤ 进步崩剑：同第一势。剑刺出时，剑尖稍高，刺敌胸部。

⑥ 转身剪腕剑：剑向右下方挂，提右腿，身向右后方转，右足横落，作剪形剑，阴剪腕，左手置于右腕上，两腿微曲。

附录三　梅花剑

第一节　路线（附图3－1）

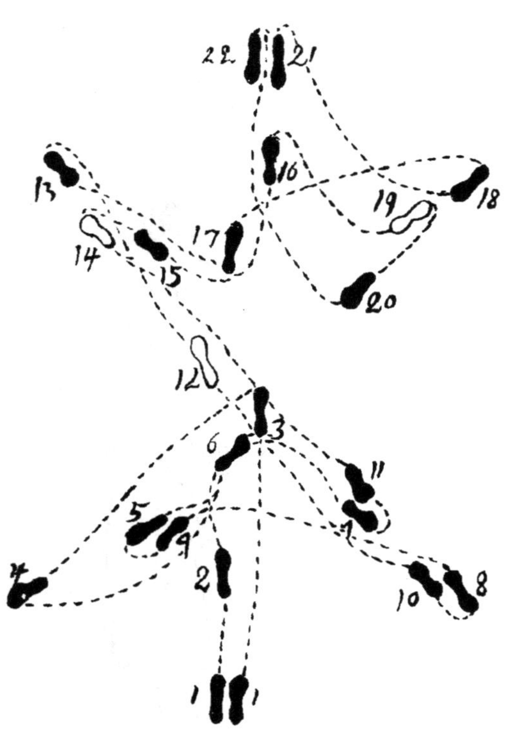

附图3－1　梅花剑路线

1.1. 开势　　2.3. 推剑
4.5. 右展　　6.7. 横剑
8.9. 右展　　10.11. 转剪
12.13. 捋肘　　14.15. 推剑
16.17. 横剑　　18.19. 钻剑
20. 推剑　　21.22. 收势

第二节　动作

一、开势①

面正南，右手执剑，直立头顶，垂肩，舌上顶，左手伸大、食两指。（附图3－2）

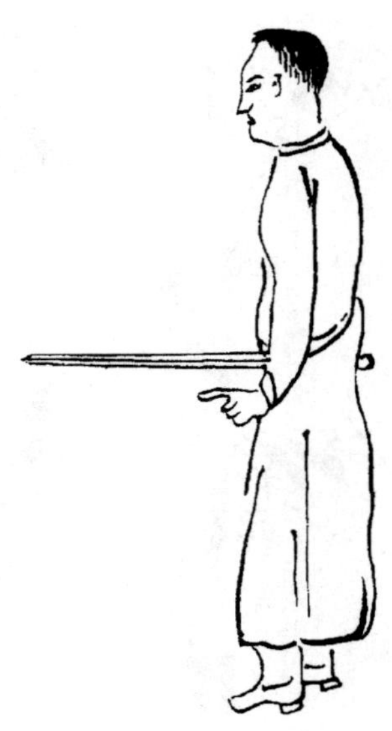

附图3－2　开势图

二、推剑[②]

左腿进，右腿随进，剑斜推剪腕，左手拊柄。（附图 3－3）

附图 3－3　推剑图

三、左展[③]

左转身，左腿向东北进，剑撩，右腿进，剑后劈，左手置头上。（附图 3－4）

附图 3－4　左展图

四、横剑[④]

左转身，剑裹，右腿进、绌，剑阳手剪腕，左腿支，左手护额，面南。（附图 3－5）

附图 3－5　横剑图

注　释

① 开势：面向正南方向，身体直立，头往上顶，肩往下垂，舌顶上腭。右手持剑，剑刃朝下，与地面平行，左手拇指、食指伸直，其余三指弯曲，掌下按。

② 推剑：左腿进一步，右手持剑抬至腹前，左手附于右腕，右腿紧接着进一步，剑尖向上、向左、向下画圆，向前斜推剑，左手附于剑柄。

③ 左展：身向左转，左腿向东北进一小步，剑逆时针画弧向上撩剑。右腿向东北进一步，两腿成剪子步。同时，剑左勾画圆，向后劈，左手升至额头，掌心向上。

④ 横剑：右足回扣，身体左转回身向南，剑裹回随身转。右腿进一大步，成弓步。剑尖顺时针画圆，右手掌心向上持剑剪敌腕。

五、右展[①]

右腿向西北撤，身右转，剑挂，左腿西北进，剑绕置左肩，成败式，左手置身后，作勾。（附图3－6）

附图3－6　右展图

六、转剪[②]

右转身，面东南，剑随身转，至身前作小圈阴手剪腕，脚顺，左手置顶上。（附图3－7）

附图3－7　转剪图

七、捋肘[3]

右腿与剑并撤，左腿[4]捋肘，左腿向东南进，右腿大进，剑自左肘下钻过，身左转，右腿绌，左腿支，左手置肘下。（附图 3 –8）

八、推剑[5]

剑由膝下勾过，右腿进、绌，剑又回锋前推，柄左锋右，左腿支，左手拊柄，面西北。（附图 3 –9）

附图 3 –8　捋肘图

附图 3 –9　推剑图

注释

① 右展：右腿向西北撤一步，身体向右转，同时剑右挂，左腿向西北进一步。右手持剑逆时针画圆，剑置于左肩处，成败势，左手伸向身后，向上勾。

② 转剪：身体右转面向东南，剑回挂，随身体右转，至身前，剑逆时针画小圆，掌心向下剪敌腕。右足直向东南，重心移至右腿，成弓步。

③ 捋肘：右腿撤至左腿后，同时剑撤回，左手置于右肘下。左腿向东南垫一步，右腿进一大步。同时剑从左肘下钻过，身体左转，剑置于头上方。右腿弯曲，左腿伸直，左手置于肘下。

④ 腿：当为“手”。

⑤ 推剑：重心移至左腿，剑经膝下回勾，右腿进一大步。同时右手翻掌，掌心向上，持剑向前推出，左手附于剑柄。重心落于右腿，左腿伸直，面朝西北。

九、横剑[①]

左转身，左腿随，右腿进、绌，剑自身前作圈，阳手平砍，左腿支，左手护额，面南。（附图 3－10）

附图 3－10　横剑图

十、钻剑[②]

剑翻阴手不动，身自剑下勾而南钻，进[③]，转身面东北，剑翻阳手剪腕。（附图 3－11）

附图 3－11　钻剑图

十一、推剑[④]

剑由膝下外挂，左腿进、绌，剑又回锋前推，柄右锋左，右腿支，左手拊腕。（附图 3－12）

附图 3－12　推剑图

十二、收势⑤

剑勾，退左腿，剑挂，退右腿，面北，两脚并立，与开势同。（附图3－13）

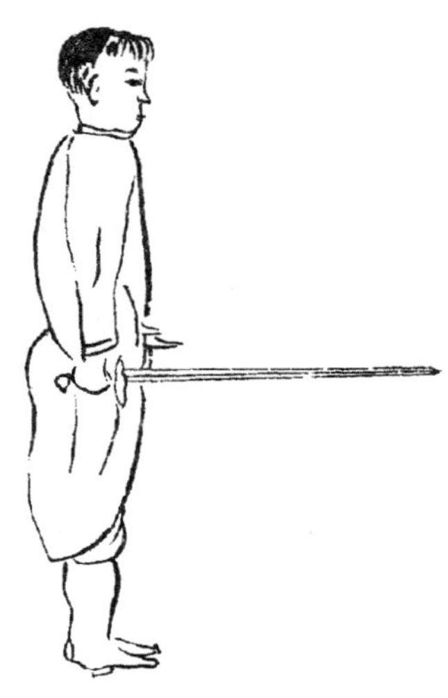

附图3－13　收势图

注释

① 横剑：身体左转，左腿随身体转向东南。右腿进一大步，成弓步，剑在身前逆时针画圆，右手掌心向上持剑平砍。左手护于额头，左腿伸直，面向南方。

② 钻剑：右手翻掌，掌心向下持剑不动，身体微弯从剑下方钻出。进左腿，转身面向东北，右手翻掌，掌心向上持剑剪敌手腕。

③ 进：原文作“进”，据文义当为“进左腿”。

④ 推剑：剑由右膝下向外挂，左腿前进一步，成弓步，剑尖逆时针画圆向前推出，掌心向下，右腿伸直，左手附于右腕。

⑤ 收势：剑向身左勾，左腿撤至右腿后，剑向右挂。右腿撤至左腿后，两足并立，剑收至体右侧，与开势同。

附录四　三才剑[①]

天地与人，谓之三才。剑以三才名者，因其变化玄妙无穷，如天地也。此剑分两段，平时练习，合而为一，有时对手，复分为二。盖两段，适相生克，攻防合宜也。

注释

① 三才剑：民国二十一年（1932 年），徐士金著《三才剑学》，对李存义所传三才剑进行诠释。徐士金，皖北人，幼从耿继善先生游，潜心国术，又富军事学识，能劈刺术，凡于刀剑戈矛拳角诸术，皆造诣颇深，而于三才剑，尤有功力。民国十九年（1930 年）春，服务于警士教练所，任技术教官，嗣兼充武汉中央军校技术科教官，期间出版《三才剑学》。据该书考证，三才剑源自岳武穆，元明秘而未传，几成绝学。清初蒲东姬际可由终南山得岳武穆拳剑各谱，遂详加习练，昕夕不辍，岳武穆之技得以复彰，一时从游者甚多，曹继武传其衣钵。曹性任侠，从游者如戴龙邦等，皆能秉承师教。戴，晋人，在河北传教甚多，李老能乃其高徒。豪侠之辈，如郭云深、刘奇兰诸人，得其传焉。由是各收徒传习，如宋世荣、车毅斋、白西园诸人竞相传习，风靡一时。李存义、耿继善、周明泰诸先生亦各有门徒，如尚云祥、李星阶、李子扬、杜奉朝、秦

月如、高专静、杜勇勇、杜振川、刘希鹏皆从李存义精研细究。耿继善亦传耿霞光（子）、邓云峰、张辅卿、高珍贵等。

第一段

第一节　路线（附图4－1）

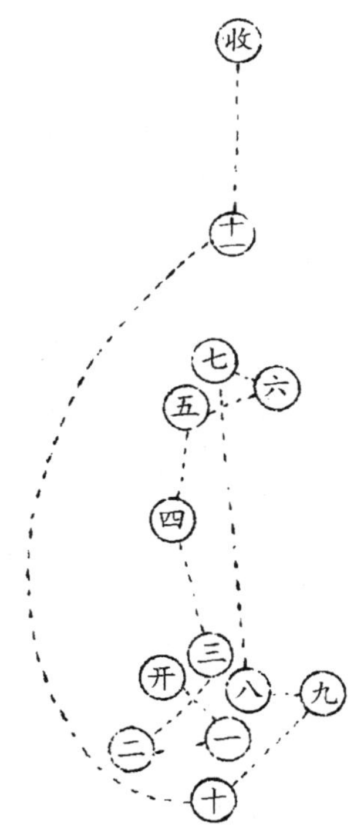

附图4－1　第一段路线

第二节　动作

一势、起首单鞭势[①]

与路线成直角，先将左腿前出，同时右手持剑，与左手亦前出，复后收至腰际，手掌前出为阴，后收为阳，剑刃向右，左脚虚收。左足前进，右手握剑阳出，左手随之，连进右足，右手手心向外，腕须曲，以剑向后画圆形，剑刃向下。左手亦如之，左足引靠右足，左手上指，右足踏一步，左腿提起，然后身转向左落，左足成弓步，剑平刺，刃向右，左手后指。右腕猛落，使剑尖上撩，然后进右足，同时右手手心向外，右腕曲折，以剑向后画圆形。左足引靠右足，左手则自心口钻出，由下旋回而后指。落此势时，手足剑三者要合，猛落腕，左手上指，右剑持平，成单鞭势。（附图 4 –2）

附图 4 –2　单鞭势图

二势、提左足裹截腕[②]

右足后撤，急提左足，同时右手持剑向下错之。左手辅助右手，剑刃向右，手心向下，上体微向前倾，小腹微向后收。此截腕也。（附图 4 –3）

附图4－3　提左足裹截腕图

三势、摇剑③

左足着地，手不变，惟曲腕使剑直立，面侧。此上摇剑也。（附图4－4）

附图4－4　摇剑图

注 释

① 起首单鞭势：预备势，右手持剑不动，左手无名指与小指曲回，食指与中指靠拢直伸，大指独伸，左手向前移动，至丹田（肚脐以下一寸三分为丹田）之前稍停，掌心向上，小指紧靠丹田向上移动，即形意拳中之上钻，至眉部再急力猛翻，向上伸直，掌心向上，食、中二指稍向右斜，两目上翻，注视指端。

② 提左足裹截腕：剑出以刺敌人之膝部，两目凝神一致，注视剑端，头之后顶向上顶劲，下颏里收，面向东南。

③ 摇剑：此剑法原用于敌人用械斩打我之上右部时，用以将敌械领至自身之右，则敌械失其作用。此亦破敌械之法。

四势、提右足下截腕

剑随即由左旋下，同时右足提起，左手上指，剑刃仍向右。身体稍向左侧，右手持剑在右膝外。此下截腕。（以上三剑上中下连贯一气，所以名三才也）（附图 4－5）

五势、刺肋[1]

右手持剑向里缠裹，剑刃转向下，左手即附右手，然后右足前进成弓步，剑向前平刺。（附图 4－6）

附图 4－5　提右足下截腕图

附图4–6　刺胁图

六势、右剪臂[②]

右腕后撤至头之右侧，手心斜向外，剑刃斜向上。此时右手后指，左足跟步，两膝相交，成剪子股式。腿不动，身体向左扭，右剑向左裹，与身平行，剑刃向上，剑身与人身均斜立。然后进左足，成弓步，剑由下旋回而斫之。剑刃转向右，剑尖低下，同时左手附于右手。(附图4–7)

附图4–7　右剪臂图

七势、左裹剑刺喉[③]

身向左扭，右足微进，同时剑向左裹，剑刃向左，剑尖向上昂，两手约与肩平。然后进右足，提左足，同时左手上指，右剑前刺，与肩平，剑刃仍向左。（附图 4－8）

附图 4－8　左裹剑刺喉图

注释

① 刺胁：进步刺胁，乃刺击之法。法有三种：对喉击刺、对胸击刺、翻身刺裆，所谓上中下三刺击。此进步刺胁为刺中部之法。

② 右剪臂：全身重量放置于两胯之上，剑尖低下，以刺敌之裆部。

③ 左裹剑刺喉：此势为刺喉之剑。刺身要平。同时将左足提起，置于右膝之左侧。左手扬起于头顶之上部，用力上顶，以衬其势，则右足方可立稳固。

八势、猛落剑刺心

左足向右后斜落，两膝相交，成剪子股式低。同时左手下指，在胯间，右剑下落，藏于膝下，然后右足后退，同时左手上指，右剑斜刺与肩平，剑刃向下高。（附图4－9）

附图4－9 猛落剑刺心图

附图4－10 勾挂剑截腕图

九势、勾挂剑截腕

将剑摘出，右腕曲折，手心向外钩[①]挂，而后截腕。同时右足先进，左足连进（向左方），复提右足，左手上指。（附图4－10）

十势、右展[②]

猛落右腕，随即右足后落，成弓步，同时剑向后挽，剑身持平，与下挽齐，距离少许，左手撑出，掌在腰际。（附图 4－11）

附图 4－11　右展图

注释

① 钩：同"勾"。此处从原文。

② 右展：右足向后退落，仍用抽剑法，身体与右手俱向后抽，两足尖与身体俱向正西，惟面向左（即向南），右腿略弓，左腿斜形伸直。两臂左右伸开而稍曲，形如半月，两手均成阴手，右手持剑作平行线，横于胸前，剑尖稍低，左手后撑，高度与右胯同。两目左视，以备敌人，是又可为守望势。

十一势、转身截腕

先提左足，后退数步，然后由左猛向回转，左脚横落，两膝相交，成剪子股式。同时右剑裹出，右肘须低，剑刃向左，左手附右手，

手势极低下。（附图 4－12）

附图 4－12　转身截腕图

十二势、提左足下剪腕

右剑上举而下砍，同时提起左足，左手上指。（附图 4－13）

附图 4－13　提左足下剪腕图

十三势、转身崩剑

由上式左足向后落，右足不动，同时身体转向左后，仰剑上崩，左手仍上指。（附图 4－14）

附图 4－14　转身崩剑图

十四势

右腿向左后方斜退，成弓步，同时身体转向右，稍向前探，左手附手，以剑自下向上画圆形，剑刃在上，及至后旋，剑至头上时，左腿随起随落，剑则搜右腿前出，掌心向上，剑须横平，左掌与右掌平行，若捧物然，连进右足，微向左偏，走成大半圆，至路线彼端，左侧左足在前，作撕剑式。（附图 4－15）

附图 4－15

附撕剑

右足向左后退一大步，左足足尖稍向右移，成左前弓步势。同时以剑画圆弧，贴左腿撕出，剑刃向上，剑身须平，左手向后下方指出，右手手心向右，右臂竭力拧劲。（附图 4－16）

附图 4－16　撕剑图

十五势、刺胁[①]

进右足，将剑向前平刺，剑尖与心口齐，左手扶助右腕，是谓刺胁。（附图 4－17）

附图 4－17　刺胁图

注　释

① 刺胁：左足不动，右足向前直进一步。同时用剑左勾，以破敌器，再向敌之胁部直刺，左手伏于右腕之左，两目注意剑端。右腿成弓形，左腿后崩，裆要合扣，则全身之力不致散。

十六势、抱剑

身向左转，右足后移，以弓步变为骑马势。同时将剑收回，右手手心向上，剑刃向右，左掌附着剑靶，距胸少许，成抱剑势。（附图 4－18）

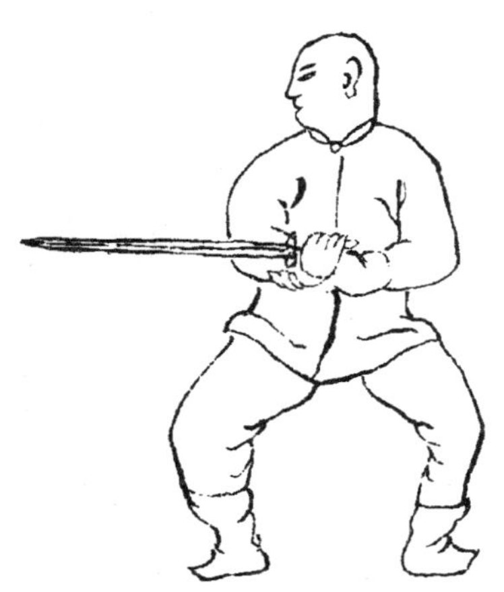

附图4-18　抱剑图

十七势、收势

身体低缩而右偏，剑则右出，而左割之，连退数步，左手上指，右剑持平，成单鞭势。（附图4-19）

附图4-19　收势图

第二段

第一节　路线（附图 4－20）

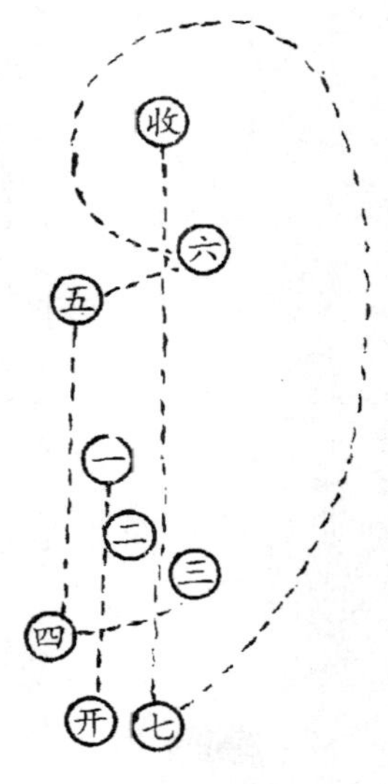

附图 4－20　第二段路线

第二节　动作

一势、鸡步刺心[1]

由单鞭势先出左足，连踏两步，然后右足进一大步，右腿弓，左腿崩，成弓步势。同时左手辅助右手将剑向前刺出（刺心），剑刃向上，与肩平，身体稍向前探，为使剑远出也。（附图 4－21）

附图 4－21　鸡步刺心图

二势、落腕

剑猛撤，两手握剑藏右膝左侧。

三势、刺喉②

由二势复提左足，同时左手上指，剑平刺，与肩平，剑刃向左。（附图 4－22）

附图 4－22　刺喉图

注 释

① 鸡步刺心：两目注视剑锋，右腿在前成弓形，左腿在后伸直，身体要竖直，稍向前倾。

② 刺喉：左足提起，同时剑向正南方、敌人之喉部反刺，右手虎口向前，手心向后。剑则上下成锋刃，剑端与剑柄适平，两目注视剑尖。左手扬起于头顶之上，用力上顶。

四势、下截腿

左足后落，身转向左，成骑马势，同时右剑自上而下从左砍腿，剑刃转向右。（附图 4－23）

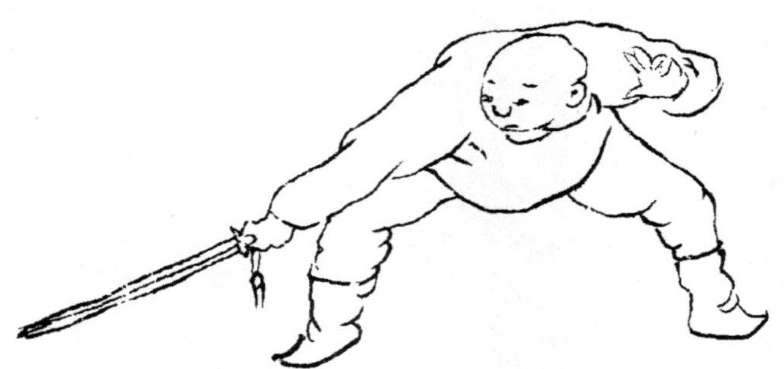

附图 4－23 下截腿图

五势、抱剑

同上节十六势。

六势、外点腕

右足后撤，两膝相交，成剪子股式，同时左手后指，剑前点。（附图 4－24）

附图 4－24　外点腕图

七势、刺喉

剑自右膝下撤收，复向上刺出，与肩平，剑刃向右，同时提左足，右[①]手辅右手。（附图 4－25）

附图 4－25　刺喉图

注释

① 右：原文误作“右”，据文义当为“左”。

八势、前剑

左足向右后斜落，成剪子股式，身转向左斜，右腕曲折，使剑尖上撩。（附图 4－26）

附图 4－26　前剑图

九势、撩腕

身体转向左，两腿分立，同时左手上指，右剑仍上撩。

十势、转身截腕

左腿左进，随即身向右闪，而右足向左后一步，同时剑前点，而复收回腰际，左手下垂左胯。（附图 4－27）

附图 4－27　转身截腕图

十一势、鸡步刺头

进步刺头，图同进步刺心，惟剑稍高耳。

十二势、下截腿

两腿齐进，成骑马势，与四势同，唯剑从右下砍，剑刃向左，左手上指。（附图 4－28）

附图 4－28　下截腿图

十三势、刺心

左足向右后斜退，成剪子股式，同时剑收右膝，左手垂于胯旁，再退左足，剑前刺，齐肩，刃向下，左手辅之。（附图 4－29）

附图 4－29 刺心图

十四势、托腕环走刺肋

剑后挽至头右侧，时左足提起，复进左足，剑自下兜上（两手姿势同十七势），走成半圆，继作刺肋[①]势。（附图 4－30）

附图 4－30 托腕环走刺肋图

十五势、抱剑

同上节十六势。

十六节[2]、撕剑

同上节附撕剑。

十七势、劈头

进右足，同时剑从左转上而劈头，左手上指，再折左腕，剑向后旋回，连退数步，成单鞭势。

注释

① 肋：当为“胁”。

② 节：当为“势”。

附录五　三合剑[1]

三合剑者，最精奥、最应用之剑也。三体合、三节合、心意气合，始可言三合也。此剑朴实无华[2]，刚而含柔，实而含虚，虚中有实，虽起承转合，亦皆精确绝伦。剑之精者，能攻防合一，虚实无定，攻中含防，防中有攻。敌意其虚者，吾即以虚者实之；敌意其实者，吾即以实者虚之。变化不可方物，此剑足以当之。

注释

① 三合剑：三合剑是“定兴三李”（河北定兴县李彩亭、李文亭、李耀亭三兄弟，又称“李氏三杰”）家传的剑法。“定兴三李”祖上精刀术，其中三合刀就是其祖传刀法之一。民国十二年《近今北方健者传》载：清朝末年，涞水县武林隐士宋老梁避难李家，见李氏家族演练三合刀，赞叹不已，曰：“是剑也，君家习为刀，精固精矣。”遂以剑法相授。李存义与“定兴三李”的父亲李良栋为刎颈之交，故李存义之三合剑得自于李良栋。民国初年，“定兴三李”主持并执教中华武士会，“出其家传三合剑授学者”，从此三合剑被中华武士会的传人传到大江南北。在传承过程中，各地传人所传三合剑的套路产生了些许差异，但基本动作招式仍然相同。本书影印“三合剑谱”出自《武术研究社成绩

录》，该书中三合剑的动作名称与李氏家族保存的《三合剑谱》动作名称不同，现将李家保存的剑谱（以下简称李谱）各式名称抄录于下：一势、太公钓鱼，二势、单举鼎，三势、黑虎出洞，四势、凤凰抬头，五势、二郎担鞭，六势、哪吒探海，七势、黑虎出洞，八势、童子抱瓶，九势、翻江倒海，十势、黑虎出洞，十一势、仙人指路，十二势、凤凰展翅，十三势、伏虎剑，十四势、青龙取水，十五势、海底针，十六势、童子抱瓶，十七势、翻江倒海，十八势、黑虎出洞，十九势、童子抱瓶，二十势、翻江倒海，二十一势、仙人指路，二十二势、霸王举鼎，二十三势、白蛇吐信，二十四势、白猿献桃，二十五势、黑虎出洞，二十六势、童子抱瓶，二十七势、翻江倒海，二十八势、黑虎出洞，二十九势、童子抱瓶，三十势、扬手伏虎，三十一势、转身伏虎，三十二势、鸿雁送书，三十三势、海底捞沙，三十四势、哪吒探海，三十五势、童子抱瓶，三十六势、翻江倒海，三十七势、阴阳合一，三十八势、展翅收势。

② 华：原文脱此“华”字，据上下文加。

第一节 路线（附图5－1）

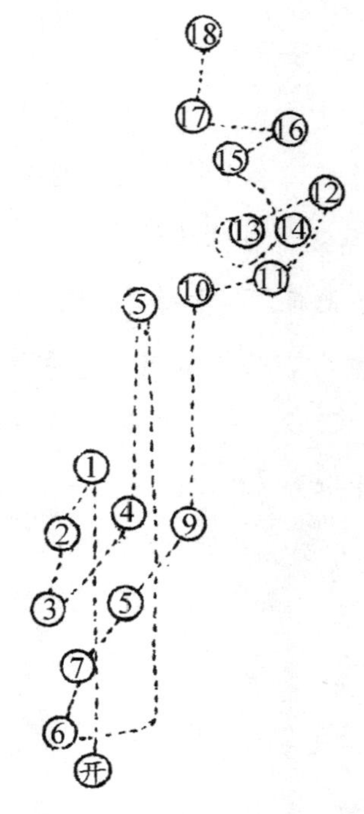

附图5－1 三合剑上手动作路线

第二节 动作

一势、单鞭势①

开始为单鞭势，面对路线，两腿自然并立，左手上指，手心向后，右手持剑下垂，剑身须平，剑刃向下。图与三才剑第一段二节一势同。

二势、鸡步刺心[②]

图说同三才剑第二段第二节一势。

三势、猛落腕[③]

猛落右腕，剑尖上挑，身体须向下缩。（附图 5－2）

附图 5－2　猛落腕图

注释

① 单鞭势：面对路线图，动作分两部分。第一部分，两腿自然并立，右手持剑，剑身与地面平行，左手握剑诀（食、中二指直伸，无名指和小指曲回，拇指扣在曲回两指的指甲上），掌心朝下。抬左腿，身向左转，左腿向路线正前方进一步。同时左手前伸指向前方，接着右手持剑由下向后再向上画弧，经头上方向前下方点剑，臂与肩平，剑尖略低于肩。左手下落向身后伸出，右腿跟进一步与左腿并齐。此势李谱称太公钓鱼。第二部分，然后右手持剑下落体侧，剑身与地平行，剑刃朝下。同时左手从身后下落向前再向上抬起至头上方，掌心向后。此势李谱称单举鼎。

② 鸡步刺心：接前势，左腿进一步，紧接着向前蹦一小步落地（鸡步），右足提起，向前进一步，右腿成弓步，左腿蹬直。同时右手持剑向前刺，左手从头下落置于右手腕处。此势李谱称黑虎出洞。

③ 猛落腕：右腕猛向下落，同时身体略向下沉，剑尖向上挑。此势李谱称凤凰抬头。

四势、单鞭势[①]

右足即行靠左足，左手上指，右剑平持，面向左[②]，仍成单鞭势。（附图 5－3）

附图 5－3　单鞭势图

五势、上截腕[③]

左足向左一步，全身重点移于左腿上。同时，右手握剑向右劈，

剑刃向上，与右肩平，名曰上截腕。（附图 5－4）

附图 5－4　上截腕图

六势、下截腕④

将剑收回，向斜下方错出，左手附于右手，手心均向下，剑刃向右。同时，将右足提起，足尖离手少许，腹向后收，上体微向前倾，面仍对路线。名曰下截腕。（附图 5－5）

附图 5－5　下截腕图

注 释

① 单鞭势：右足收并于左足，身体直立，面向左方。左手剑诀上指，掌心向后，臂伸直。右手持剑收回体侧，剑身与地平行，剑刃朝下。此势李谱称二郎担鞭。

② 左：当为“右”。

③ 上截腕：左足向左进一步，重心落于左腿，右腿蹬直。同时，右手持剑由下向左经头上方，向右劈剑，剑与右肩平。此时，左手剑诀下降，经面前向左再向上画圆置于头顶上方，掌心朝上。

④ 下截腕：将剑收回，剑尖经上、左、下、右撩出，剑刃向右，左手附于右手腕。同时提起右足，手接近足尖，腹回收，身体微前倾，面向右方。上截腕、下截腕在李谱中称哪吒探海。

七势、刺胁[①]

图说同三才剑第一段第二节十五势。

八势、抱剑[②]

说同三才剑第一段第二节十六势。图如下（附图5－6）。

附图5－6　抱剑图

九势、撕剑[③]

说同三才剑第一段第二节附撕剑。图如下（附图 5－7）。

附图 5－7　撕剑图

注释

① 刺胁：转身体向前，剑尖向前，刃朝下，右腿前进一步，成弓箭步，前弓后绷。右手持剑向前刺出，左手仍附于右腕。此势李谱称黑虎出洞。

② 抱剑：由弓箭步变骑马步，身体左转，右手转掌心向上，剑刃向左，收回右手，左手附于剑柄，相距少许。此势李谱称童子抱瓶。

③ 撕剑：右手掌心转向内，剑刃向后，剑由前向上、向后、向下、向前撩出，掌心向右，左手由肋下向后伸出。同时右腿经左腿后面撤一大步，成倒插步，重心放于左腿，左足斜向前方。此势李谱称翻江倒海。

十势、刺胁[①]

复进右足成弓步，两手握剑向前平刺。图与三才剑第一段第二节十五势同。

十一势、抱剑

抱剑势同七[②]动。

十二势、撕剑

撕剑同九势。

注 释

① 刺胁：右足前进一大步，成弓箭步，右手持剑向前平刺，剑刃向下，同时左手收回附于右腕。

② 七：原文误，当为“八”，指本节八势、抱剑。

十三势、刺胁

进右足，剑平刺，同十势。

十四势、劈头[①]

急将右手后撤，左脚前进，右脚连进，成弓步。同时，右手手心向外翻，以剑画成圆形，从上向前劈出，右手齐肩，剑尖微昂，左手向后下方指出。名曰劈头剑。（附图 5－8）

附图 5－8　劈头剑图

十五势、退步外截腕②

附图 5－9　退步外截腕图

右手向右捋，使剑尖向左下方点之，同时，左手从后向前复向左捋，与右手一齐动作。此时，两臂外张，如鸟之两翼飞，随即用碎步向后急退，以足尖点地，退至适当距离，以右足支地向左后斜跳，两脚再一齐落地，右脚在前，而全身重点移于左腿上，两腿微曲。同时，剑由下方，从左向右画圆弧，剑刃向下，剑尖低与膝齐，左手辅助，右手与小腹距离少许。名曰外截腕。（附图 5－9）

注释

① 劈头：接前势，转剑尖向下、向后、向上，同时左手向前指，左足进一步。紧接着右足前进一步，成弓箭步，重心在前腿。右手持剑向下劈敌人头部，左手向身后指出。此势李谱称仙人指路。

② 退步外截腕：右手转掌心向下，剑刃向外，向右捋剑，剑尖向左下点颤；同时左手回身前，向左捋，与右手一齐动作。此时两臂外张似小鸟两翼飞的样子。两足足尖点地向后碎步急退，退至适当距离，以右足支地向左后斜跳，两足再一齐落地，右足在前，重心再移至左腿，两腿微曲。同时剑由下方从左向右画圆弧，剑刃向下，剑尖低与膝齐，左手附于右手腕，与小腹距离少许。此势李谱称凤凰展翅、伏虎剑。

十六势、取耳[①]

两足齐进，同时，右手手心转向上，剑刃亦向上，剑尖微昂，两手举剑与口平，向前刺出。名曰取耳。（附图 5－10）

附图 5－10　取耳图

十七势、下截腿[②]

两足齐向前跃进，身体转向左，成骑马势，上体稍向前倾。同时，左手上指，右手握剑向右下砍之，手心向下，剑刃向右，手与脐同高，剑刃则稍低矣。（附图 5－11）

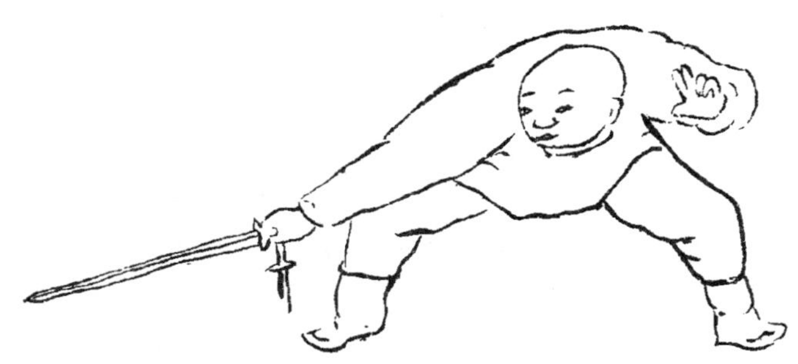

附图 5－11　下截腿图

十八势、抱剑

抱剑同七[③]势。

注 释

① 取耳：右足进一步，同时左足跟进（此图有误，应右腿在前），右手转至掌心向上，剑刃向上向前刺出，两手举剑高与口平。此势李谱称青龙取水。

② 下截腿：右足横跨一步，左足稍跟，面向左，成骑马势。同时左手上指，上体微前倾，右手握剑转掌心向下砍剑，剑刃向右，手与脐等高，剑刃稍低。此势李谱称海底针。

③ 七：当为“八”。

十九势、撕剑

撕剑同八[①]势。

二十势、刺胁

刺胁同九[②]势。

二十一势、劈头

劈头同十二[③]势。

二十二势、单鞭势[④]

右脚向右后退一步，左脚引靠右脚，右手向右捋，使剑尖下点，随即持平剑身，左手上指成单鞭势。

二十三势、软折腰[⑤]

右脚后退一步，左脚仍引靠之。同时，上身向后仰，左手辅助右手将剑向前点出，剑刃向上，约与口齐。名曰软折腰。（附图 5－12）

附图 5－12　软折腰图

二十四势、提右足上举剑[⑥]

左脚向左前进一步，右膝引靠左膝，右足稍提，全身微向左倾。同时，两手将剑上举过顶，头在两臂中央。（附图 5－13）

附图 5－13　提右足上举剑图

注释

① 八：当为“九”。

② 九：当为“十”。

③ 十二：当为“十四”。

④ 单鞭势：右足向右后方退一步，左足跟着并于右足，身体直立。右手持剑向右捋，剑尖下点随即持平剑身，左手向上指。此势李谱称霸王举鼎。

⑤ 软折腰：右足向后退一步，左足跟着退步并于右足，上身微向后仰。右手将剑向前点刺，左手附于右手腕，剑刃向上约与口齐。此势李谱称白蛇吐信。

⑥提右足上举剑：左足向左前进一步，右腿跟进，右膝紧靠左膝，右足稍提，全身微向左倾。同时两手将剑回勾，向下向后再向上举起过头顶，头在两臂中央，剑刃向上。

二十五势、跪左膝下截腿[①]

随后右脚前进一步，左膝点地，两手握剑，向右下砍之，右手手心向下，剑刃向右。（附图5－14）

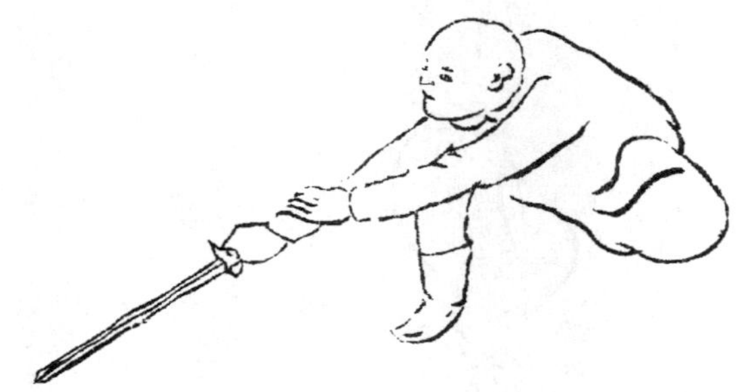

附图5－14 脆左膝下截腿图

二十六势、上举腕[②]

再将右手外翻，手腕曲折，高于膝齐，剑下垂，刃向前。（附图5－15）

附图5－15 上举腕图

二十七势、仰身截腕[3]

以左手着地（向身后落），身向后仰，剑向前点腕。（附图 5－16）

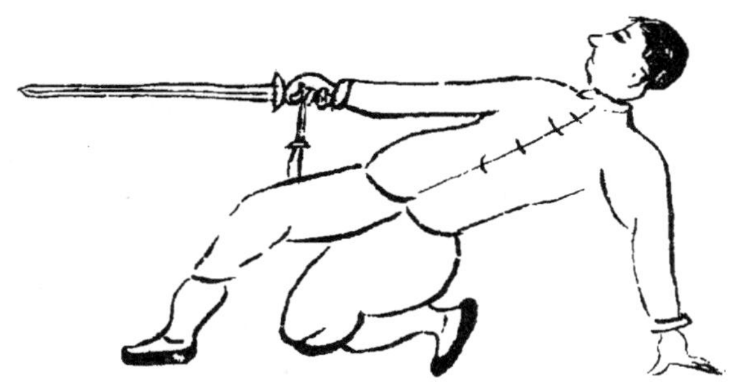

附图 5－16　仰身截腕图

注 释

① 跪左膝下截腿：上势不停顿，右足前进一步，左膝点地。右手握剑向右下砍去，左手附于右腕。

② 上举腕：再将右手外翻，剑尖往回勾，手腕曲回高与膝齐，剑下垂，刃向前。

③ 仰身截腕：以左手拄地，身体向后仰，剑尖从后向上再向前下方点砍敌腕。二十四势、二十五势、二十六势、二十七势一气合成，李谱称白猿献桃。

二十八势、起身刺胁

刺胁同九[1]势。

二十九势、抱剑

抱剑同七[2]势。

三十势、撕剑

撕剑同八[③]势。

三十一势、刺胁

刺胁同九[④]势。

三十二势、抱剑

抱剑同七[⑤]势。

注释

① 九：当为“十”。

② 七：当为“八”。

③ 八：当为“九”。

④ 九：当为“十”。

⑤ 七：当为“八”。

三十三势、单展翅[①]

右脚反向后进一步，右手握剑，向前点，左手上指。名曰单展翅。（附图 5－17）

附图 5－17　单展翅图

三十四势、转身截腕[②]

将剑收回，藏于腰际，身体低下，由左向后转，左脚不动，右脚向右进步，成弓步，全身重点移于右腿上。同时，以剑向左前点之，剑刃向下，左手附于右腕。（附图 5－18）

附图 5－18　转身截腕图

注释

① 单展翅：右足经左足前向后进一步，脚横落。右手握剑向前点，左手上指。此势李谱称扬手伏虎。

② 转身截腕：将剑收回藏于腰际，左腿向后进一步，右腿再进一步，身体向左转回向前，重心放于右腿。同时剑向左前点腕，剑刃向下，左手附于右腕处。此势李谱称转身伏虎。

三十五势、斩膊[①]

右脚引靠左脚，剑刃向右推向前，名曰斩膊。（附图 5－19）

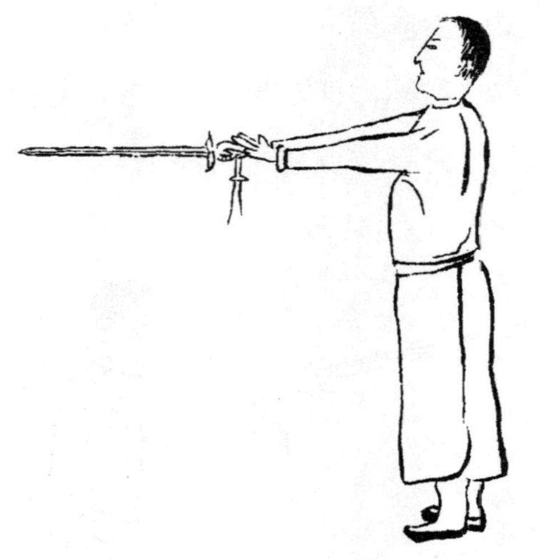

附图 5－19　斩膊图

三十六势、托腕[2]

右腿引向后，而身剑随之，右手心复转向上，以剑向前推之。此时身体重点复移于左腿上，右手与肩平，剑刃向右。名曰兜腕[3]。（附图 5－20）

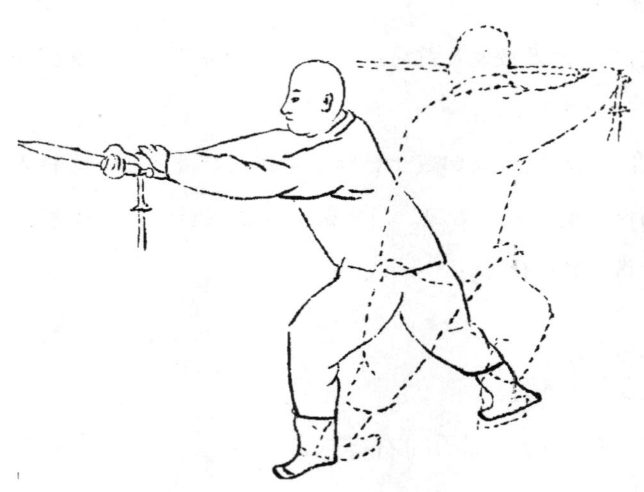

附图 5－20　托腕图

三十七势、下截腕④

提起右足，剑向右下截之，姿势同五⑤势。

三十八势、刺胁

刺胁同九⑥势。

三十九势、抱剑

抱剑同七⑦势。

四十势、撕剑

撕剑同八⑧势。

四十一势、外截腕⑨

以剑从下转上截敌人之手腕，两脚位置不动，图同十四⑩势。

四十二势、收势⑪

随即后退数部⑫仍成单鞭势。

注意：除单鞭势外，凡一动作，两眼须注视剑尖。

注 释

① 斩膊：右足向前横进一步，左足跟进并于右足。右手持剑向前横推，剑刃向前。此势李谱称鸿雁送书。

② 托腕：右腿向右后方迈一步，剑身随身体向右推。接着右手掌心转向上，剑向前推，身体重心移于左腿，右手与肩平，剑刃向右。此势李谱称海底捞沙。

③ 兜腕：三合剑中的“托腕”也称“兜腕”。

④ 下截腕：右足提起，右手持剑向右下截敌手腕。此势李谱称哪吒探海。

⑤ 五：当为“六”。

⑥ 九：当为“十”。

⑦ 七：当为“八”。

⑧ 八：当为“九”。

⑨ 外截腕：右手翻掌心向上再转向下，做退步外截腕。

⑩ 十四：当为“十五”。

⑪ 收势：后退数步至出势处，仍成第一势单鞭势。四十一势、四十二势在李谱中合称展翅收势。

⑫ 部：原文“部”字误，当为“步”。

此剑分上下手，可以对击。下手动作与上手相同，惟路线与次序稍异。兹以图标示路线，以数字表示其动作之次序。

第一节　路线（附图5－21）

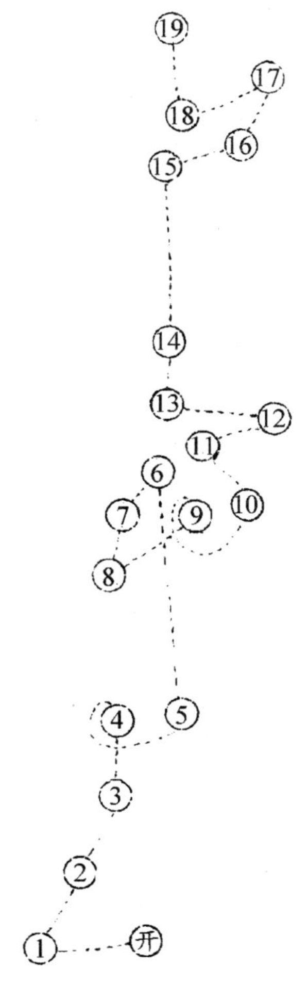

附图5－21　三合剑下手动作路线

第二节　动作

一势、外截腕

同上十五势。

二势、取耳

同上十六势。

三势、下截腿

同上十七势。

四势、抱剑

同上十八势。

五势、撕剑

同上十九势。

六势、刺肋

同上二十势。

七势、抱剑

同上十八势。

八势、单展翅

同上三十三势。

九势、转身截腕

同上三十四势。

十势、进步刺心

同上二势。

十一势、猛落腕成单鞭势

同上二十二势。

十二势、上截腕

同上五势。

十三势、下截腕

同上六势。

十四势、刺胁

同上七势。

十五势、抱剑

同上八势。

十六势、撕剑

同上九势。

十七势、刺胁[①]

同上十势。

十八势、抱剑

同上八势。

十九势、单展翅

同上三十三势。

二十势、转身截腕

同上三十四势。

二十一势、斩膊

同上三十五势。

二十二势、托腕

同上三十六势。

二十三势、下截腕

同上三十七势。

二十四势、刺胁

同上三十八势。

二十五势、抱剑

同上三十九势。

二十六势、撕剑

同上四十势。

二十七势、刺胁

同上十三势。

二十八势、进步劈头

同上十四势。

二十九势、单鞭势

同上二十二势。

三十势、软折腰

同上二十三势。

三十一势、提右足上举剑

同上二十四势。

三十二势、跪左膝下截腿

同上二十五势。

三十三势、上举腕

同上二十六势。

三十四势、仰身截腕

同上二十七势。

三十五势、刺胁

同上二十八势。

三十六势、抱剑

同上二十九势。

三十七势、撕剑

同上三十势。

三十八势、刺胁

同上三十一势。

三十九势、上吊腕

将剑下垂，腕上举成九十度后收剑，退数步，作单鞭势。（附图5－22）

附图5－22　上吊腕图

注释

① 肋：原文“肋”字误，当为“胁”。

新书
预告

武学名家典籍丛书

孙禄堂武学集注

（形意拳学　八卦拳学　太极拳学　八卦剑学　拳意述真）

孙禄堂　著　　孙婉容　校注　　定价：288 元

杨澄甫武学辑注

（太极拳使用法　太极拳体用全书）

杨澄甫　著　　邵奇青　校注　　定价：178 元

陈微明武学辑注

（太极拳术　太极剑　太极答问）

陈微明　著　　二水居士　校注　　定价：218 元

（第一辑）

李存义武学辑注

（岳氏意拳五行精义　岳氏意拳十二形精义　三十六剑谱）

李存义　著　　阎伯群　李洪钟　校注　　定价：268 元

张占魁形意武术教科书

张占魁　著　　吴占良　王银辉　校注

薛颠武学辑注

（形意拳术讲义上编　形意拳术讲义下编　象形拳法真诠　灵空禅师点穴秘诀）

薛　颠　著　　王银辉　校注　　　　　　　　　　定价：358 元

（第二辑）

陈鑫陈氏太极拳图说（配光盘）

陈　鑫　著　　陈东山　陈晓龙　陈向武　校注　　定价：358 元

董英杰太极拳释义

董英杰　著　　杨志英　校注

许禹生武学辑注

（太极拳势图解　陈氏太极拳第五路　少林十二式）

许禹生　著　　唐才良　校注

（第三辑）

李剑秋形意拳术

李剑秋　著　　王银辉　校注

刘殿琛形意拳术抉微

刘殿琛　著　　王银辉　校注

靳云亭武学辑注

（形意拳图说　形意拳谱五纲七言论）

靳云亭　著　　王银辉　校注

（第四辑）

武学古籍新注丛书

王宗岳太极拳论

李亦畬　著　　二水居士　校注　　定价：50 元

太极功源流支派论

宋书铭　著　　二水居士　校注　　定价：68 元

太极法说

二水居士　校注　　定价：65 元

（第一辑）

手战之道

赵　晔　沈一贯　唐顺之　何良臣　戚继光　黄百家　黄宗羲　著

王小兵　校注　　定价：65 元

（第二辑）

百家功夫丛书

张策传杨班侯太极拳 108 式　（**配光盘**）

张　喆　著　　韩宝顺　整理　　定价：48 元

河南心意六合拳　（**配光盘**）

李洳波　李建鹏　著　　定价：79 元

（第一辑）

形意八卦拳

贾保寿　著　　武大伟　整理　　定价：52 元

张鸿庆传形意拳练用法释秘　　邵义会　著

王映海传戴氏心意拳精要（配光盘）

王映海 口述 王喜成 主编 定价：198 元

戴氏心意拳功理秘技 王 毅 编著

（第二辑）

传统吴氏太极拳入门诀要 张全亮 著

华岳心意六合八法拳 张长信 著

程有龙传震卦八卦掌 奎恩凤 著

杨振基传太极拳内功心法 胡贯涛 著

刘晚苍内家功夫及手抄老谱 刘晚苍 刘光鼎 刘培俊 著

（第三辑）

民间武学藏本丛书

守洞尘技 崔虎刚 校注

通臂拳 崔虎刚 校注

心一拳术 李泰慧 著 崔虎刚 校注

六合拳谱 崔虎刚 校注

少林论郭氏八翻拳 崔虎刚 校注

（第一辑）

心意拳术学 戴 魁 著 崔虎刚 校注

武功正宗 买壮图 著 崔虎刚 校注

太极纲目 崔虎刚 校注

神拳拳谱　崔虎刚　校注

精气神拳书·王堡枪　崔虎刚　校注

（第二辑）

单打粗论　崔虎刚　校注

母子拳　崔虎刚　校注

拳谱志三　崔虎刚　校注

拳法总论　崔虎刚　校注

少林拳法总论　崔虎刚　校注

（第三辑）

少林秘诀　崔虎刚　校注

绘像罗汉短打变式　崔虎刚　校注

绘像罗汉短打通式　崔虎刚　校注

计艺外丹　崔虎刚　校注

香木神通　崔虎刚　校注

（第四辑）

老谱辨析点评丛书

再读浑元剑经　马国兴　著

再读王宗岳太极拳论　马国兴　著

（第一辑）

太极拳近代经典拳谱探释　　魏坤梁　著

再读杨式老谱　　马国兴　著

再读陈氏老谱　　马国兴　著

（第二辑）

拳道薪传丛书

三爷刘晚苍——刘晚苍武功传习录

刘源正　季培刚　编著　　定价：54 元

慰苍先生金仁霖——太极传心录　　金仁霖　著

习武见闻与体悟　　陈惠良　著

（第一辑）

中道皇皇——梅墨生太极理念与心法

梅墨生　著

乐传太极与行功

乐　匋　原著　　钟海明　马若愚　编著

（第二辑）

民国武林档案丛书

太极往事　　季培刚　著

（第一辑）

图书在版编目（CIP）数据

李存义武学辑注．三十六剑谱/李存义著；阎伯群，李洪钟校注．—北京：北京科学技术出版社，2017.5
（武学名家典籍丛书）
ISBN 978－7－5304－8449－4

Ⅰ.①李…　Ⅱ.①李…　②阎…　③李…　Ⅲ.①武术－研究－中国　②剑术（武术）－研究－中国　Ⅳ.①G852

中国版本图书馆 CIP 数据核字（2016）第 131976 号

李存义武学辑注——三十六剑谱

作　　者：李存义
校 注 者：阎伯群　李洪钟
策　　划：王跃平　常学刚
责任编辑：苑博洋　刘瑞敏
责任校对：贾　荣
责任印制：张　良
封面设计：张永文
封面制作：木　易
版式设计：王跃平
出 版 人：曾庆宇
出版发行：北京科学技术出版社
社　　址：北京西直门南大街 16 号
邮政编码：100035
电话传真：0086－10－66135495（总编室）
0086－10－66113227（发行部）　0086－10－66161952（发行部传真）
电子信箱：bjkj@bjkjpress.com
网　　址：www.bkydw.cn
经　　销：新华书店
印　　刷：保定市中画美凯印刷有限公司
开　　本：787mm×1092mm　1/16
字　　数：127 千字
印　　张：17.75
版　　次：2017 年 5 月第 1 版
印　　次：2017 年 5 月第 1 次印刷
ISBN 978－7－5304－8449－4/G·2476

定　　价：80.00 元